Willem Wolf
en
De Luchtridders

Gerard Delft

Gerard Delft

Willem Wolf
en
De Luchtridders

Met illustraties van
Tineke van der Stelt

De Vier Windstreken

© 2009 De Vier Windstreken, Rijswijk
Tekst van Gerard Delft
Illustraties van Tineke van der Stelt
Alle rechten voorbehouden. Gedrukt in Nederland
NUR 280, 282 / AVI M6 / ISBN 978 90 5579 858 2

Bezoek ons ook op internet, www.vierwindstreken.com,
en meld je aan voor onze nieuwsbrief.

Inhoud

Willem Wolf

Door het dakraam van een huisje dat midden in het bos stond, vielen de stralen van de vroege ochtendzon speels naar binnen.

'Oewaa,' geeuwde Willem en hij rekte zich eens stevig uit. 'Dat belooft een mooie dag te worden.'

Even later stapte hij met een dienblad zijn tuin in. Daarop bevonden zich flink wat boterhammen, een pot jam, een pak hagelslag en enige dikke plakken kaas. Hij zette het blad op een tafeltje en ging terug naar de

keuken om de theepot te halen. Toen hij weer buiten kwam, zat er een mus op de rand van het dienblad. Het diertje keek met een scheef kopje naar de boterhammen.

'Ho, ho…' bromde Willem. 'Even wachten.'

Hij sneed wat brood in stukjes en legde ze in het gras.

De mus piepte dankbaar en kreeg al snel gezelschap van een stel kwetterende vriendjes.

'Samen delen, hoor,' grijnsde Willem.

Hij smeerde een flinke lik bosbessenjam op een boterham en begon aan zijn ontbijt. Na alles tot de laatste kruimel te hebben opgegeten, keek hij tevreden om zich heen. Zijn blik bleef op de groene luiken van zijn huis rusten. 'Die kunnen wel wat verf gebruiken,' mompelde hij. 'Verf heb ik nog, maar een kwast niet meer.'

Willem haalde een pen en een bloknoot tevoorschijn en schreef op: *kwast*

Daaronder kwamen nog meer boodschappen:

een pakje roomboter

kip

sla

appelmoes

aardappelen

een sausje

en

aardbeienpudding

8

'Ziezo,' zei hij tegen de mussen, 'mijn lijstje is klaar. 'Tijd om bij de anderen langs te gaan.'

Die anderen waren ook wolven. Ze woonden net als Willem in het Lommerbos. Maar niet in zo'n keurig huisje als hij. Nee, zij waren al tevreden met een hut waar stof en spinnenwebben vrij spel hadden. Zo'n hut die bij een beetje storm de lucht in dreigde te vliegen. Ze hadden niet alleen een hekel aan keurige huizen. Ook van mensen moesten ze niet veel hebben. De wolven vonden dat maar dikdoeners die je de oren van je hoofd kletsten. De dagelijkse boodschappen lieten ze dan ook graag aan Willem over.

Hoewel Willem niet zo spraakzaam was, hield hij wel van gezelligheid en drukte om zich heen. Hij had ontdekt dat als je op het juiste ogenblik *nee maar* of *hoe bestaat het* zei, je eigenlijk best een goed gesprek kon voeren.

Zo kwam het dat hij iedere dag in zijn gele jeep langs zijn vrienden reed om te vragen of ze nog iets nodig hadden.

Vandaag was Stella Wolf als eerste aan de beurt.

'Een kippetje Mexicaan, Willem.'

Kippetje Mexicaan, noteerde Willem. 'Verder nog iets?'

'Een pak koffie en een doos spritsen graag. O ja... en een pot honing.'

Harro Wolf lag in een hangmat voor zijn hut.

'Neem voor mij een krantje mee,' klonk het slaperig. 'En twee geroosterde kippen, alsjeblieft.'

'Een sigaar, Willem,' bromde Opa Wolf, die een stukje verderop in zijn schommelstoel zat. 'Een dikke van twee euro. En een gevulde kip. Met een sausje.'

'Wat voor sausje, Opa?'

Opa Wolf nam zijn baseballpetje af en krabde zich nadenkend achter een oor. 'Wat ik laatst zo lekker vond. Weet jij nog wat dat was?'

'Pittige paprikasaus,' antwoordde Willem. 'Komt in orde, Opa.'

Z'n neefje Timo wachtte hem midden op het bospad op. 'Een zakje lolly's graag. En of je nog even bij mama langs wilt rijden voor de rest.'

Zo had iedereen wel iets nodig. Willem schreef alles op zijn lijstje. Behalve kranten, sigaren, lolly's en andere nuttige zaken, stonden daar vooral veel kippen op.

De mensen in de supermarkt van het dorpje Lommer mochten Willem wel. Als je ergens niet bij kon, pakte Willem dat voor je uit het schap. Wist je niet waar iets stond, dan deed hij zijn best het voor je te vinden. Had je haast, dan liet hij je bij de kassa voorgaan. Met zo iemand knoopten de mensen graag een praatje aan.

'Mooi weer vandaag, Willem,' zei het meisje van de kaas. 'Vorige week kwam het nog met bakken uit de hemel. En gisteren hadden ze voor vandaag ook niet veel goeds voorspeld. Zo zie je maar: je kunt nooit van te voren weten wat je te wachten staat.'

'Dat is waar,' zei Willem. 'Mag ik een onsje jonge Leidse?'

'En morgen schijnt het nog warmer te worden,' vervolgde ze, terwijl ze de kaas in plakjes sneed. 'Maar te warm, daar heb je ook niets aan. Toen ik van de zomer op vakantie was, vielen de mussen dood van het dak. Zo'n hitte! De hele dag stond je in de zee om af te koelen.'

11

'Nee maar,' verbaasde Willem zich.

'Ja, ja,' zei de burgemeester die naast hem was komen staan. 'Maar dat is nog niets vergeleken met een weekje vakantie in de woestijn. Dat heb ik van de zomer gedaan. Een echte uitdaging. We hadden een jeep, wel drie keer zo groot als die van jou. En denk maar niet dat je daar midden op de dag met je blote voeten in het zand kon lopen. Het kon wel, maar dan had je meteen tien gebraden worstjes aan je voeten. Jazeker, tien gebraden worstjes. Hahaha.'

'Hoe bestaat het,' zei Willem.

'Anders nog iets?' vroeg het meisje van de kaas.

'Nee, dank je wel,' antwoordde Willem vriendelijk, waarna hij met zijn karretje naar het straatje van de frisdranken reed.

'Wat een beleefde wolf is die Willem toch,' zei de burgemeester. 'En hij geeft van die verstandige antwoorden. Met zo iemand is het aangenaam praten.'

'Jazeker,' beaamde het meisje. 'En wat mag ik voor u doen?'

'Een stukje brie graag,' antwoordde de burgemeester. 'Heb ik al eens verteld van die keer dat ik…'

Mevrouw Dra

Op datzelfde ogenblik stapte mevrouw Dra met haar hond Bulle het gemeentehuis binnen. Ze ging op zoek naar de heer Van Spijkeren: ambtenaar huisvesting Lommer en Omgeving.

In de wachtruimte keek iedereen nieuwsgierig op. De meeste mensen kenden elkaar wel, maar deze dame met haar dikke buldog had men nooit eerder gezien.

'U moet een nummertje trekken,' zei iemand behulpzaam. 'Als u geluk hebt, bent u binnen drie uur aan de beurt.'

'Ai,' zei mevrouw Dra. 'Dat is nou vervelend. Dan moet ik het ziekenhuis even bellen om m'n afspraak te veranderen.'

Ze ging op de enige lege stoel zitten, pakte haar mobieltje en even later hoorde iedereen haar vragen naar de afdeling OBZV.

'Onbekende Besmettelijke Ziekte Verschijnselen dus,' verduidelijkte ze aan de onzichtbare receptioniste.

Het werd opeens muisstil en iedereen deed net of ie *níet* meeluisterde.

'Ja, ik kan nu niet weg,' gaf mevrouw Dra te kennen.

'Kan het nog op een ander moment vandaag?'

...

'Natuurlijk jeukt het! Aan het eind van de middag? Vier uur? Bedankt.'

Ze begon zich uitgebreid te krabben, pakte een tijdschrift en ging er quasi nonchalant in zitten bladeren.

Een dame naast haar stond op.

'Ik vraag me af of ik het gas wel heb uitgedaan,' mompelde ze.

'Even een munt in de parkeermeter gooien,' zei een heer aan haar andere zijde.

Toen mevrouw Dra vijf minuten later haar tijdschrift neerlegde, bleek ze alleen in de wachtruimte te zitten.

Op dat moment ging een zoemer.

'Volgende,' grinnikte mevrouw Dra. 'Niemand? Nou dan ga ík maar. Kom mee, Bulle.'

De ambtenaar huisvesting Lommer en Omgeving stelde zich voor als Jan van Spijkeren.

'Dra,' zei mevrouw Dra en nam tegenover hem plaats. 'Ik wil een huis in het bos hebben. Kunt u daarvoor zorgen?'

Van Spijkeren schudde zijn hoofd. 'In het bos wonen de wolven. Er is in het hele bos geen huis meer vrij. Het spijt mij.'

'Dan jaagt u die beesten toch weg?'

'Wegjagen?! Hoe kómt u daarbij? Ze betalen altijd op tijd hun huur en de belasting. Wij zijn een net dorp, mevrouw Dra. Nee, daar beginnen we niet aan. Voor je het weet, zeggen ze allerlei nare dingen over je in het journaal. En trouwens, we hebben momenteel

14

helemáál geen huizen vrij in Lommer en omgeving. U komt op een wachtlijst te staan. Ik zal u wat papieren meegeven, dan moet u die...'

'Laat u maar,' onderbrak mevrouw Dra hem. 'Kijkt u mij eens aan!'

Verbaasd keek Jan van Spijkeren op.

Het volgende ogenblik had mevrouw Dra de ambtenaar in haar blik gevangen.

'Maar natuurlijk, mevrouw,' hoorde hij zichzelf zeggen. 'Dat ik daar niet eerder aan heb gedacht. Aan de rand van het bos is nog een kleine boerderij vrij. Een beetje bouwvallig, dat wel. Maar omdat u zo omhoog zit, gaat u natuurlijk voor. Even de papieren pakken.'

Vijf minuten later verlieten mevrouw Dra en Bulle het kantoor van Van Spijkeren met het huurcontract van de boerderij.

'En die wolven krijg ik ook wel weg,' grijnsde ze vals.

Klauwtjes

Het viel mevrouw Dra op, dat er dagelijks een wolf in een gele jeep langs haar huis reed. Op de heenweg was de jeep leeg en op de terugweg puilde hij altijd uit van de boodschappen.

Toen mevrouw Dra dan ook klaar was met de hoognodige reparaties aan haar bouwval, besloot ze deze wolf te volgen. Wie weet wat dat haar zou opleveren. Zo kwam het dat ze zich op een dag samen met Willem in de supermarkt bevond. Daar hield mevrouw Dra Willem onopvallend in de gaten. Stopte hij ergens, dan hield ook zij haar pas in en deed ze of ze iets zocht.

'Wat moet zo'n wolf toch met een kar vol kippen?' mompelde ze toen hij al zijn boodschappen in zijn wagentje had. 'Dat moet ik straks eens navragen.'

'Willem Wolf bedoelt u?' vroeg de caissière. 'Nou, die eet ze echt niet alleen op hoor, als u dat soms mocht denken. Die kippetjes zijn voor de andere wolven.'

'Sssooo,' siste mevrouw Dra op een manier waar je koude rillingen van kreeg.

Wat een eng type, dacht de caissière, een doosje gedroogde zwammen met mevrouw Dra afrekenend. Als je niet wist dat heksen niet bestaan, zou je haast denken dat dat mens er een is.

Diezelfde avond zat mevrouw Dra achter een wankele tafel in haar boerderijtje. Uit een stuk hout probeerde

ze met een beitel een wolvenklauwtje te hakken. Dat is niet makkelijk, als je zoiets nog nooit hebt gedaan. Maar mevrouw Dra hield vol en tegen middernacht had ze er een af.

'Morgen de rest, Bulle,' geeuwde ze. 'Als dat geen mooie schoentjes worden, dan weet ik het niet meer.'

De volgende dag werkte ze aan één stuk door. En tegen de avond stonden er vier houten klauwtjes, als een stel vreemde kaarsenstandaards, op tafel.

'Kom ze maar passen, Bulle,' grijnsde ze. 'Eens kijken of je zo wat meer op die verre neven van jou lijkt.'

Maar Bulle vond er niet veel aan. Hij schuifelde voorzichtig door de kamer, terwijl mevrouw Dra ongeduldig toekeek.

'Je zult nog heel wat moeten oefenen,' mopperde ze. 'Dit lijkt nergens op.'

En zo scharrelde Bulle iedere dag een paar uur met de klauwtjes aan zijn poten om het boerderijtje. Dan lette Mevrouw Dra goed op of niemand Bulle zag. Ook maakte ze nog meer klauwtjes, die even ongemakkelijk zaten.

Na een week lukte het Bulle een stukje te rennen zonder te vallen. Maar daar was mevrouw Dra niet tevreden over. Het duurde zeker nog twee weken voordat ze op een dag tegen hem zei: 'Bulle, ik geloof dat we zo langzamerhand aan de slag kunnen. Luister goed, dan leg ik je mijn plan uit.'

Een dag later stond het volgende artikel in de Lommerse Courant:

KIP DOODGEBETEN
Toen boer van den Brom vanochtend in zijn kippenhok kwam, vond hij een van zijn kippen dood in het hok. Volgens Barend van den Brom zag het ernaar uit dat de kip door een of ander dier was aangevallen.

Omdat het op de vierde pagina linksonder in een hoekje stond, was het de meeste lezers niet opgevallen. De volgende dag stond er echter in het midden van de tweede pagina het volgende artikel:

OPNIEUW KIP SLACHTOFFER
Bij boer Zandhoven is, net als gisteren bij boer Van den Brom, een kip aangevallen en doodgebeten. Het slachtoffer heette Johanna III, een van de beste legkippen van Egbert Zandhoven. Het lijkt erop dat er een wild dier in het spel is. Boer Zandhoven heeft aangifte bij de politie gedaan.

Nu begonnen de mensen erover te praten.
'Zoiets kan toch geen toeval zijn, vind je ook niet,

20

Willem?' vroeg het meisje dat het brood afbakte. 'Kijk, als zoiets één keer gebeurt, oké. Maar twee keer achter elkaar en beide keren kippen...'

'Hoe bestaat het,' zei Willem.

'En toch... wat is toeval?' ging het afbakmeisje verder. 'Ik ben een keer de koningin midden op straat tegen gekomen. Was dat nou toeval of moest zoiets gewoon gebeuren. Dat soort dingen vraag ik me vaak af, weet je.'

'Wonderbaarlijk,' zei Willem.

'Precies.' Het was ambtenaar Van Spijkeren, die ook in de rij voor het brood stond. 'Dat zegt u goed, meneer Wolf. Zoiets is heel wonderbaarlijk. Persoonlijk ben ik overigens voor een wetenschappelijke aanpak van dit soort fenomenen. Ik heb er jaren op gestudeerd. Alles is verklaarbaar, als je de juiste gegevens maar invoert. Dat is mijn mening. En met onze huidige computers...'

'Ja, ja,' merkte Willem op.

'Het is een kwestie van reduceren. Eerst alles invoeren en dan weglaten wat niet relevant is.'

'Nee maar,' antwoordde Willem, die er niets van begreep. Hij pakte een dubbelgebakken-noten-volkorenbrood aan en knikte vriendelijk. Daarna duwde hij zijn karretje in de richting van de huishoudelijke artikelen.

'Wat een aardige wolf is dat toch,' zei Van Spijkeren tegen het meisje. 'Altijd in voor een praatje.'

WOLVENSPOREN ONTDEKT BIJ DERDE DODE KIP, kopte diezelfde avond de Lommerse Courant in vette letters. Met daaronder het verhaal over Xantippe, de kip van boer Bertels, die het laatste slachtoffer was geworden. Het artikel eindigde met: *De politie onderzoekt of bij de vorige twee kippenmoorden ook sprake is geweest van wolvensporen.*

De wolven vertrekken

Omdat de commissaris van de Lommerse politie haast had, botste hij met zijn karretje tegen dat van Willem op. Daardoor belandden Willems kippen met een boogje tussen de koffie en de koek.

'Sorry,' riep commissaris Braam. 'Mijn schuld. Ik help je wel even, Willem.'

'Het is me toch wat,' begon Braam, toen de kippen weer keurig in Willems karretje lagen. 'Nu moet ik alle wolvenpoten in de buurt met de gevonden sporen vergelijken. Vind je het erg als ik de jouwe meteen even naloop? Dat scheelt mij weer tijd. Je begrijpt wel dat ik je niet echt verdenk. Het is zuiver een formaliteit.'

'Het is niet anders,' zei Willem, terwijl de commissaris zijn poten met verschillende gipsafdrukken vergeleek.

'Jawel,' zei de commissaris. 'Elke afdruk die we vinden is wél anders. We begrijpen er niets van. Nou, er past er niet één bij jou, maar dat vermoedde ik natuurlijk wel. Je neemt het me toch niet kwalijk?'

'Welnee,' antwoordde Willem.

'Prima kerel, die Willem,' mompelde de commissaris, terwijl hij verder snelde. 'Nooit te beroerd om even mee te werken.'

De dagen daarop reden de politieauto's af en aan naar het Lommerbos. Er werden steeds andere afdrukken naast nieuwe doodgebeten kippen gevonden. Dus moesten de wolven iedere keer hun poten laten zien. Natuurlijk paste er nooit een afdruk, maar de wolven klaagden steen en been. Het is niet leuk om verdacht te zijn, ook al vinden ze dan niets.

Na een week hadden ze er schoon genoeg van. Op een open plek in het bos werd een vergadering belegd.

'Het is een schandaal,' riep Opa Wolf, die als oudste de vergadering leidde.

'Een schandaal,' beaamden de wolven in koor.

'Maar ze moeten niet denken dat we dat pikken,' betoogde Opa, terwijl hij met zijn sigaar driftige kringen door de lucht beschreef.

'Mooi niet,' riepen de wolven.

'Juist,' zei Opa.

'Precies,' stemde het koor in.

'Daarom heb ik besloten dat we naar het Hoge Noorden vertrekken. Dat is het land van onze voorvaderen. Daar horen echte wolven thuis. Tussen sneeuw, ijs en dennenbossen.'

'Hoera, sneeuw,' riep Timo. 'Dan neem ik mijn slee mee.'

'We zullen er,' vervolgde Opa Wolf, 'op sneeuwhoentjes jagen zonder dat iemand onze poten komt opmeten.'

'Sneeuwhoentjes!' juichten de wolven. Ze begonnen ritmisch te klappen en te roepen: 'Sneeuw-hoen-tjes! Sneeuw-hoen-tjes! Sneeuw-hoen-tjes!'

Toen ze weer stil waren, pinkte Opa Wolf een traan weg.

'Ik ben diep ontroerd door zoveel saamhorigheid,' verklaarde hij met een brok in zijn keel. 'Laten we meteen beginnen met pakken. Dan vliegen we morgen nog naar onze nieuwe bestemming.'

Opgewonden vertrokken de wolven naar hun hutten. Even later hoorde je overal kreten als:

'Waar zijn mijn sokken?'

'Wie weet waar het recept voor sneeuwhoentjes is gebleven?'

'Hebben ze daar ook lolly's?'

Toen Opa naar zijn eigen hut wilde gaan, zag hij een wolf die niet aan het pakken was.

'Willem…' zei Opa en hij liep op hem toe. 'Als ik het niet dacht. Vertel het eens, jongen. Wat kan ik voor je doen?'

'Ik eh… ik ga liever niet mee,' stamelde Willem. 'Als het u hetzelfde is, blijf ik gewoon mijn kippetjes hier in het dorp halen.'

Opa keek Willem enige ogenblikken indringend aan.

'Je bent altijd al een bijzondere wolf geweest, Willem. En ik heb ergens het gevoel, vraag me niet hoe ik eraan kom, dat het wel eens belangrijk zou kunnen zijn dat

je hier blijft. Nou ja, de tijd zal het leren. Maar je kunt ons altijd achterna reizen, als je je eenzaam voelt of mijn raad nodig hebt. '

'Dank u wel,' zei Willem. 'Kan ik nog wat voor u doen?'

'Een doos sigaren graag, als je morgen naar het dorp rijdt. En neem ook maar een warme muts voor me mee.'

De volgende ochtend reed Willem wel drie keer heen en weer. Want iedereen had iets nuttigs bedacht wat in het Hoge Noorden vast niet te krijgen zou zijn.

Daarna vertrokken de wolven bepakt en bezakt naar het vliegveld.

Natuurlijk ging Willem mee om ze uit te zwaaien. Hij schudde poten, klopte schouders en kuste iedereen uitgebreid ten afscheid. Nadat het vliegtuig als een kleine stip in de verte was verdwenen, stapte hij in zijn jeep en reed terug naar het Lommerbos.

Balthasar

Wat lijkt het bos opeens groot en leeg, dacht Willem, toen hij langs de verlaten hutjes van de wolven reed. Hij parkeerde de jeep voor zijn eigen vertrouwde huis, liep naar de voordeur en schrok het volgende ogenblik net zo hard als mevrouw Dra, die kwam kijken wat dat motorlawaai te betekenen had.

Mevrouw Dra was de eerste die zich herstelde. 'Ik eh... dacht dat u vertrokken was, meneer Wolf,' stamelde ze. 'Net als de andere wolven. En eh... ik dacht eh... dat ik het licht zag branden.'

'Het licht branden?' vroeg Willem, terwijl hij langs haar naar binnen stapte.

'Ja, het licht branden. Ik heb het even uitgedaan. Anders wordt de rekening zo hoog hè. Als u weer teruggekomen was, van weggeweest, bedoel ik, begrijpt u?'

Er kwam een dikke hond uit Willems keuken. Hij had een diepvrieskip in zijn bek.

'Dat is Bulle,' zei mevrouw Dra. 'Die heeft me geholpen met het zoeken naar het lichtknopje. Ik ben namelijk een beetje bijziend, mijnheer Wolf. Wat heb je daar, Bulle? Leg dat boek eens netjes terug.'

'Het is een kip,' zei Willem.

Mevrouw Dra bukte zich en deed of ze vreselijk schrok.

'Bulle toch! Schaam je,' klonk het verontwaardigd.

'Leg die kip onmiddellijk neer.'

'Grrrr,' gromde Bulle, die daar niets voor voelde. Maar toen zijn bazin dreigend op hem af kwam, liet hij de buit vallen en rende naar buiten.

'Nou, dan ga ik ook maar eens,' zei mevrouw Dra. 'Stuurt u de rekening van die kip maar naar mij als u 'm niet meer wilt. Ik woon in dat gammele boerderijtje aan de rand van het bos. Dag mijnheer Wolf.'

'Dat díe wolf zonodig moest blijven,' snauwde ze tegen Bulle die zijn kwaad terugbenende meesteres probeerde bij te houden. 'Juist dát huisje wilde ik hebben. Die andere hutten zijn nóg slechter dan waar ik nu woon.'

De schemering begon te vallen toen mevrouw Dra besloot een laatste poging te wagen. Ze deed Bulle aan de lijn en samen gingen ze op weg. Af en toe kwamen ze een fietser of een wandelaar tegen. Mevrouw Dra groette iedereen vriendelijk, zodat niemand vermoedde dat ze op het slechte pad waren.

Bij de boerderij van boer Gerrits aangekomen, haakte ze Bulles riem los. Ze haalde vier klauwtjes uit haar jaszak en bevestigde ze een voor een aan zijn poten. 'Vooruit,' siste ze. 'Grijp de vetste kip die je kunt vinden. Er is nog maar één wolf over. Die krijgt, zeker weten, de schuld. Zorg dat je wat veren en zo laat liggen, dan mag je de buit zelf houden.'

Kwijlend sloop Bulle in de richting van het kippenhok. Dat zou de kip die hij vanmiddag had moeten achterlaten weer goed maken.

Hij duwde het luikje open en stak zijn kop naar binnen.

'Aiaiaiaiaat!!' Daar kreeg hij een flinke pik in zijn neus. Zo snel hij kon probeerde hij zijn kop terug te trekken. Dat was echter niet snel genoeg om een nieuwe aanval op zijn zachte neus te voorkomen.

'Aiaiaiaiaat!' Bulle maakte dat hij wegkwam. Maar zijn kwelgeest was hij niet kwijt, want er landde iets zwaars op zijn rug dat met acht scherpe nagels in zijn vel priemde. Tegelijk pikte de snavel, die zijn neus zo pijnlijk had bewerkt, nu in zijn nek. Die snavel was van Balthasar, de grootste en vechtlustigste haan uit de omtrek. Er ging een deur open en boer Gerrits verscheen met een oud jachtgeweer op het erf.

'Loat om moar los, Balthasar,' riep de boer. De haan vloog gehoorzaam op en het volgende ogenblik klonk een luide knal. 'Aiaiaiaiaat!!' krijste Bulle voor de derde keer.

Met één sprong bereikte de arme hond de bosjes, kegelde mevrouw Dra omver, en ging er zo snel als de klauwtjes dat toelieten vandoor.

Bukkend om niet gezien te worden, holde mevrouw Dra achter hem aan. Ze struikelde over boomwortels en laaghangende takken zwiepten gemeen in haar gezicht. Tot overmaat van ramp viel ze over Bulle, die voor de deur van de boerderij zat te piepen.

Die avond moest Bulle zijn kiezen op elkaar zetten. Als iemand hagelkorrels met een pincet uit je billen haalt, is dat bepaald geen pretje. Vooral niet als die iemand Dra heet en allemaal schrammen in haar gezicht heeft.

Een nieuw plan

'We zien hem nauwelijks meer, die Willem,' zeiden de mensen. 'En als we hem zien, kijkt hij zo somber.'

'Hij schaamt zich zeker, omdat zijn familieleden onze kippen hebben vermoord.'

'Wat een onzin. De politie heeft toch gezegd dat de sporen niet klopten met die van de wolven.'

'Boer Gerrits heeft op een beest geschoten, waarvan hij beweerde dat het zeker geen wolf was.'

'Sindsdien zijn er geen kippen meer verdwenen.'

'Precies,' zei het meisje van de vleeswaren. 'We moeten iets doen om die arme Willem te helpen.'

'Maar wat?' vroeg de burgemeester, die in de rij stond voor een onsje rosbief.

'Ik weet iets,' klonk opeens een stem. 'We moeten hem afleiden.'

Alle wachtenden draaiden zich om.

Het was mevrouw Dra. Afgezien van een pleister op haar neus, zag ze er weer redelijk toonbaar uit.

'Hoe bedoelt u?' vroeg de burgemeester.

'Nou, iets organiseren, zodat hij niet meer over z'n familie piekert.'

'Tja,' zei de burgemeester. 'Ik ben best goed in organiseren. Anders zou ik geen burgemeester zijn, nietwaar? Als ik maar weet wát ik moet organiseren.'

'Een vossenjacht,' antwoordde mevrouw Dra snel.
'Daar zijn wolven gek op.'
'Een vossenjacht?'
'Ja, u weet wel. Je verkleedt je en dan gaan anderen je
zoeken.'
'Hmm,' zei de burgemeester. 'Nou, als u denkt dat dat
Willem opvrolijkt organiseren we zo'n eh, vossenjacht.
Komt u morgen maar even langs op het gemeentehuis.
Dan moet u mij er wat meer over vertellen. Hoe was
uw naam ook alweer?'
'Dra.'
'Dat is dan afgesproken, mevrouw Dra. Morgenochtend
om tien uur bent u van harte welkom.'

Een paar dagen later werd er op de deur van Willems
huisje geklopt.
'Bezoek,' zei Willem die een spelletje 'wolf-erger-je-
niet' met zichzelf zat te spelen.
Hij legde z'n
dobbelsteen neer
en liep naar de
deur.
Toen hij deze
opende, zag hij
een heer in een
net pak staan.
'Goedemorgen.
De naam is Van

Spijkeren. Jan van Spijkeren. En u bent Willem Wolf. Ik heb u wel eens in de supermarkt gesproken.'
'Ja, ja,' zei Willem voorzichtig.
'Mooi,' ging Van Spijkeren verder. 'Nou, om een lang verhaal kort te maken, binnenkort bent u Willem Vos. Tenminste, als u mee wilt werken.'
Willem fronste zijn wenkbrauwen en bekeek de heer Van Spijkeren eens goed.
De man lèèk volkomen normaal.
'Kopje koffie?' vroeg hij voorzichtig.
'Graag. Dan leg ik u alles uit.'

'Het is een idee van mevrouw Dra,' eindigde Van Spijkeren zijn verhaal. 'Zij heeft voor u een heel mooie vossenkop gemaakt. Ik zal hem even uit mijn auto halen.'
Met een groot pak onder zijn arm kwam hij even later terug.
'Kijk eens aan,' zei hij, het papier eraf scheurend. 'Daar is de kop. Wilt u even passen, mijnheer Wolf?'
Willem liet de vossenkop voorzichtig over zijn hoofd glijden.
'Als gegoten!' juichte Van Spijkeren. 'Die mevrouw Dra kan er wat van, zeg.
Nou, wat vindt u? Doet u mee?'
Daar hoefde Willem niet lang over na te denken. Hij was blij weer eens wat omhanden te hebben.
'Mooi,' lachte Van Spijkeren. 'Dat is één. Nu moet

ik nog een zwerverspak voor de burgemeester en een clownspak voor de commissaris regelen. Mevrouw Dra had gelukkig een heksenpak thuis. Daar hoef ik dus niet achteraan. Nou, dat is het dan. Bedankt voor de koffie. Ik moet nog langs basisschool "Het Lommertje" om de kinderen te vertellen dat het allemaal doorgaat. Nogmaals hartelijk dank, mijnheer Wolf.'

Willem leefde zich zo goed in, dat hij af en toe met vossenkop en al naar bed ging. Maar waar hij vooral op lette, was de houding. Een vos was een parmantig dier dat met opgeheven staart liep, wist Willem. Daarom paradeerde hij iedere dag minstens twee uur met zijn staart omhoog rond zijn huis. Na verloop van tijd begon hij zo op een vos lijken dat je goed moest kijken om te weten dat je met een wolf te maken had.

Dat was precies wat mevrouw Dra, die hem van achter de struiken beloerde, ook vond.

'Mooi zo,' gniffelde ze. 'Nu het volgende deel van mijn plan. Laat ik maar eens wat plankjes kopen. Nog twee dagen, dan ben ik eindelijk van die wolf verlost.'

En terwijl Willem z'n vossenpasjes oefende, timmerde mevrouw Dra talloze bordjes, waarop ze teksten schilderde als:

Deze kant op voor de vos.
U bent op de goede weg.
Ga zo door.

De dag vóór de vossenjacht hing ze de bordjes duidelijk zichtbaar aan de bomen in het bos tussen Lommer en Paarsheide. Allemaal wezen ze richting Lommer en je moest wel blind zijn, wilde je zo'n bordje over het hoofd zien.

Door de straten van Lommer liep een zwerver. Op zijn hoofd droeg hij een oude hoed vol gaten en zijn kleren zagen er vies en gescheurd uit.
Soms maakte hij vreemde, zwalkende bewegingen. Die kwamen echter niet door de wijnfles, die hij onder zijn arm geklemd had, want daar zat bosbessenlimonade in. Nee, die bewegingen had de burgemeester zichzelf aangeleerd. Af en toe ging hij op een bank liggen of hij graaide met een kapotte, rafelige handschoen voorzichtig in een gemeentelijke vuilnisbak.
'Wat moet zo'n zwerver hier in ons nette dorp?' zeiden de mensen. 'Laten we de politie bellen.'
De agenten hadden echter opdracht gekregen niet te reageren op telefoontjes over vreemde personen.
Commissaris Braam had ze die ochtend toegesproken. 'Mannen,' had hij gezegd, 'er hoeven vandaag geen zwervers, clowns, vossen of andere vreemd uitziende figuren te worden opgepakt. Die horen bij de vossenjacht, waar ik jullie laatst over vertelde. Maken jullie je vandaag maar nuttig met het uitschrijven van parkeerbonnen.'
Vandaar dat iedere beller te horen kreeg dat de poli-

tie vandaag wel wat beters te doen had dan zwervers oppakken.

Over de lommerrijke Landlustlaan, bij de grens van het dorp, wandelde Willem rustig op en neer. Mevrouw Dra had dat een goede plek voor hem gevonden. De burgemeester, de commissaris en zijzelf zouden zich over het dorp verspreiden.

Opeens spitste hij zijn oren. Waren dat de kinderen van Het Lommertje al? Hij keek op zijn horloge. Nee, dat kon niet. Die zouden pas over een kwartier van school vertrekken. Het leek meer op het geluid van paardenhoeven. En hoorde hij daar geen hond blaffen?

Gespannen tuurde Willem in de richting van het geluid.

Aan de rand van het bos verschenen nu vier ruiters in rode jasjes. Naast hun paar-den renden twee grote, zwarte honden.

De mannen hielden hun rij-dieren in toen ze Willem in het oog kregen.

'Zie je wel dat we die bordjes moesten volgen,' riep een van hen. 'Dat telefoontje van die aardige dame klopte precies.'

'Dit wordt onze eerste vos,'

grijnsde een ander met een grote snor en hij loerde gemeen naar Willem.

'Ja,' beaamde een derde, 'de eerste vos sinds we onze club vier jaar geleden hebben opgericht. Ik zei toch dat we vol moesten houden. Blaas eens op je hoorn, Johan. Dit is een groots moment.'

Plechtig zette de vierde jager een hoorn aan zijn lippen en liet de koperen tonen over de Landlustlaan schallen.

'Vooruit, erop af, Mauzer en Snauzer,' riep de besnorde jager. 'Ruiken jullie die vermaledijde vos dan niet?'

Mauzer en Snauzer staken hun neuzen in alle windrichtingen. Maar zij kregen de typische vossengeur niet te pakken.

Tot nu toe dacht Willem, die te ver van hen stond om dit gesprek te kunnen volgen, dat de mannen met het spel te maken hadden. Om het echter te maken en zo.

Maar toen er een schot hagel tegen een tuinmuurtje vlak naast hem uiteenspatte, was hij hier niet zo zeker meer van.

Zonder nog verder na te denken, zette Willem het op een lopen.

Achter zich hoorde hij hoe de mannen de paarden de sporen gaven. Er werd een tweede schot afgevuurd, dat gelukkig ver naast ging.

Willem rende in de richting van het dorpsplein, af en toe angstig achterom kijkend. Omdat de paarden niet gewend waren door een dorp te draven, kon hij zijn belagers voorblijven. Maar hij vreesde dat hij dat niet lang zou volhouden.

Hijgend rende hij langs het gemeentehuis, zonder de heks op te merken die zich verdekt achter een stenen leeuw had opgesteld. 'Mooi zo,' gniffelde mevrouw Dra. 'Als ik me niet vergis, is de vossenjacht zojuist begonnen.'

Er stond een zwerver midden op de weg. Met veel armgezwaai lukte het hem de jagers te laten stoppen. 'Opzij ouwe,' schreeuwde Snorremans.

'Maar dit is een vossenjacht,' riep de zwerver. 'Jullie vergissen je.'

'Natuurlijk is dit een vossenjacht,' klonk Johan de Hoornblazer verbaasd. 'We gaan die vos te grazen nemen.'

'Daar komt niets van in,' commandeerde de zwerver streng. 'Afstappen jullie!'

'Wie denk je wel dat je bent? De burgemeester?!'

'Natuurlijk,' riep de burgemeester boos, die even vergeten was hoe burgemeesters meestal gekleed gaan.

De jagers barstten in lachen uit. Ze trokken aan de teugels en reden spoorslags verder.

Uiteraard was dit alles niet onopgemerkt gebleven en de telefoon bij de politie stond inmiddels roodgloeiend. Dat er jagers op een vos aan het schieten waren. En dat een of andere dronkelap had geprobeerd ze tegen te houden.

39

'Klopt,' hadden de bellers te horen gekregen. 'Daar hoeft u zich geen zorgen over te maken. We hebben alles in de hand. Het is gewoon een vossenjacht.'
'Maar dat zeggen we toch,' riepen de mensen wanhopig in hun telefoons. 'Jullie moeten er wat aan doen! Straks gebeuren er ongelukken in het dorp!'

Inmiddels rende Willem voor zijn leven. Hij sprong over hekjes, rende door perkjes en sloeg straten en steegjes in.
Onder het rennen, probeerde hij de vossenkop af te rukken, maar die zat op een vreemde manier klem.
'Wacht, Willem!' riep commissaris Braam, die vanachter een boom in een clownspak tevoorschijn sprong. 'Ik zal dit varkentje wel even wassen.'
Willem wachtte echter niet en rende puffend en blazend verder.

De commissaris graaide in de broekzak van zijn wijde, rode bolletjesbroek en viste er een fluitje uit. 'Prrrrt,' klonk het en een papieren roltong krulde recht omhoog.

'Krijg nou wat,' riep de commissaris en hij begon razendsnel in zijn andere zak te zoeken. Het enige wat hij daarin aantrof, was een grote, platte lolly. 'Dan hier maar mee,' besloot hij, de lolly heldhaftig opstekend. 'Gelukkig is ie rood.'

Opnieuw hielden de jagers hun paarden in.

'Als commissaris van politie...' begon Braam. Maar verder kwam hij niet. Een enorme niesbui maakte hem het verder spreken onmogelijk. 'Paarden... dat is waar ook... *hatsjie*... ik ben allergisch... *hatsjie*... voor paarden.'

De jagers vielen bijna uit hun zadels van het lachen.

'Leuk,' riepen ze. 'Grote klasse. Als we tijd hebben, komen we een keer in het circus naar je kijken. Maar nu moeten we er echt vandoor.'

En verder ging de jacht op de arme vos.

Die stond inmiddels in een steegje, waar hij al een keer doorheen was gehold, uit te hijgen. 'Ik kan niet meer,' kreunde hij. 'Wie had gedacht dat ik nog eens als vos aan mijn eind zou komen.'

Tegenover hem ging een deur in een schutting zachtjes open. Een klein meisje met rood haar wenkte hem. 'Pssst... hierheen, meneer Vos.'

Veertje

Met zijn laatste krachten sleepte Willem zich naar binnen. Het meisje deed de deur dicht en het volgende ogenblik stoven de paarden voorbij.

'Zo,' zei ze, 'dat was net op tijd.'

'Dankjewel, jongedame,' steunde Willem, nog buiten adem.

'Ik heet Elvira van Spijkeren,' zei het meisje. 'Maar u mag wel Veertje zeggen, hoor.'

'Kun je me helpen mijn kop eraf te trekken?' vroeg Willem.

'Uw kop eraf trekken?'

'Als je wilt graag.'

Veertje keek hem met grote ogen aan.

'Dit is niet mijn eigen kop. Die zit eronder.'

Veertje keek nog eens goed. Toen haalde ze opgelucht adem en begon aan de vossenkop te sjorren.

'Even schrapzetten,' zei ze. 'Eén, twee, drie...' en *hoeps*, daar schoot de vossenkop los.

'Nu zie ik het!' riep Veertje. 'U bent mijnheer Wolf.'

'Zeg maar Willem,' zei Willem schor. 'Heb je een glaasje water voor me, Veertje?'

Nadat Willem drie glazen achter elkaar had leeggedronken, zag hij dat Veertje heldere, lichtblauwe ogen had en een leuk sproetenkoppie. Willem schatte dat ze zo'n jaar of tien moest zijn.

Hij wilde iets vragen, maar omdat Veertje dat op het-zelfde ogenblik deed, klonk het ongeveer zo: '*Moest* waarom *jij* zaten *vandaag* die *niet* mannen *naar* achter *school* je aan?' Maar dan nog iets onverstaanbaarder.

'Jij eerst, Veertje,' zei Willem.

'Waarom zaten die mannen achter je aan?' herhaalde Veertje. 'Ik weet trouwens wat jij zei.'

'O ja?'

'Ja. *Moest jij vandaag niet naar school?* Dat zei je.'

'Hoe doe je dat?' vroeg Willem verbaasd.

Veertje haalde haar schouders op. 'Ik weet het niet. Misschien komt het doordat ik goed kan leren. Tenminste, dat zegt iedereen. Ik begrijp op school altijd alles meteen en ik heb alle schoolboeken die ze daar hebben zo'n beetje uit. Niet dat dat zo leuk is, want je gaat je enorm zitten vervelen. En de andere kinderen vinden me eigenwijs en dan krijg ik ruzie met ze.'

Willem knikte.

'Volgens mij is juf dan ook blij als ik af en toe een dagje wegblijf,' zei Veertje.

'Maar je ouders dan?' vroeg Willem. 'Sturen die je niet naar school?'

'Ach,' zuchtte Veertje. 'Mijn moeder heb ik nog nooit gezien. En papa werkt op het gemeentehuis. Hij is een schat hoor, maar hij heeft het altijd heel druk met formulieren en zo. Als hij vrij heeft, vindt hij het heerlijk om te puzzelen en geraniums te kweken. Onze garage staat er helemaal vol mee.'

'Hmm,' zei Willem.

'Maar ik vind het niet erg,' ging Veertje met een klein stemmetje verder. 'Zo kan ik lekker doen wat ik zelf wil.'

'Ja, ja,' zei Willem. 'Hoe zou je het vinden om af en toe eens bij mij langs te komen?'

'Mijn vader zegt dat jij op de mooiste plek in het bos woont,' zei Veertje. Ze klonk opeens enthousiast en

haar ogen begonnen te stralen. 'Zijn er veel dieren?'
'Eekhoorns, mollen, konijnen, vogels, vlinders…'
'Daar hou ik allemaal van. En ik vind het natuurlijk leuk om met jou te praten.
Maar vertel eens… waarom zaten die mannen achter je aan? En waarom had je een vossenkop op?'
'Als je wat vaker naar school was gegaan, had je dat geweten,' lachte Willem.
'Maar dan had ik je niet kunnen redden. Dachten die mannen dat je een echte vos was?'
'Dat moet wel.'
Toen vertelde Willem van de vossenjacht die zo vreemd was verlopen. 'Ik vraag me af waar die jagers nu zitten,' eindigde hij.
'Blijf voorlopig maar even hier,' zei Veertje. 'Ik ga in het dorp kijken of de kust veilig is.'
Het volgende ogenblik was ze door de deur van de schutting verdwenen.

Omdat de jagers hun vos nergens meer konden vinden, waren ze mopperend over de Landlustlaan teruggereden.
Het was natuurlijk de schuld van Snauzer en Mauzer, die nog geen spoor konden volgen. En van die zwerver en die clown. Anders hadden ze dat beest zeker te pakken gekregen.
Ze haalden uit kwaadheid alle bordjes van de bomen en verbrandden ze op een grote hoop. Daarna roos-

terden ze de boterhammetjes die ze van hun vrouwen hadden meegekregen in het vuur.

Zo kwam het dat Veertje alweer vrij snel terug was.

'Niets te zien,' verklaarde ze. 'De kust is veilig. Wat ga je nu doen?'

'Ik weet het niet,' antwoordde Willem.

'Misschien is iedereen wel naar het gemeentehuis teruggegaan,' opperde Veertje. 'Op straat heb ik niemand kunnen ontdekken.'

'Dan ga ik daar maar eens kijken,' besloot Willem.

'Ik ga met je mee,' zei Veertje. 'Mijn vader is zijn aktetas vanochtend vergeten, dus dat komt goed uit.'

'Die Willem,' snikte mevrouw Dra. 'Het was zo'n lieve, lieve, wolf. En nu is ie misschien wel doho… doho… doho… O, ik kan dat vreselijke woord niet over mijn lippen krijgen.'

'De jagers zijn verdwenen, net als Willem,' stelde de commissaris somber vast. 'Zoiets geeft inderdaad te denken.'

Hij frommelde zenuwachtig aan de bretels van zijn wijde clownsbroek.

'Ik had ze kunnen tegenhouden,' zei de burgemeester, 'als ik niet in deze malle zwerverskleren...'

'Net als ik,' onderbrak de commissaris hem. 'Ik stond compleet voor gek.'

'Maar het ergste is dat Willem...' zei de burgemeester.

'Ja, dat Willem...' herhaalde de commissaris.

'Dohoho...' huilde mevrouw Dra.

'Dood is?' vroeg Willem.

Mevrouw Dra hapte naar adem. 'Willem?!'

'Willem!' riepen de burgemeester en de commissaris en ze sprongen op om hem in hun armen te sluiten.

'Als jij er niet geweest was, Elvira van Spijkeren...' zei de burgemeester, nadat hij het hele verhaal had gehoord.

'Zegt u maar Veertje,' zei Veertje. 'Mag ik nu even naar mijn vader?'

'Natuurlijk, beste meid. En eh... we zullen een passende beloning voor je bedenken.'

'Hoeft niet hoor, burgemeester,' zei Veertje. 'Ik mag zo vaak als ik wil bij Willem op bezoek komen. Dat vind ik al hartstikke fijn. Tot ziens.'

'Zo'n meisje toch,' mompelde de commissaris. 'Maar eh... had ze eigenlijk niet op school moeten zitten?'
'Ach,' zei Willem. 'Dan was ik er nu niet meer geweest.'
'Dat is waar,' beaamde de commissaris. 'Maar toch...'
'Ik praat er wel eens over met Van Spijkeren,' zei de burgemeester. 'Wat bent u trouwens stil, mevrouw Dra. Is er iets?'
'Ik denk dat het de emotie van het blijde weerzien is,' snikte mevrouw Dra en ze veegde enige krokodillentranen met de punt van haar zakdoek weg.
'Luister, Willem,' vervolgde de burgmeester. 'Dan zal ik je vertellen hoe commissaris Braam en ikzelf ons voor dat leger ruiters geworpen hebben.'
'Zodat jij kon ontsnappen,' zei de commissaris, die zich al weer een stuk gemakkelijker voelde.
Even later zat Willem naar de 'heldendaden' van de beide heren te luisteren, terwijl hij af en toe op de juiste momenten 'nee maar' en 'hoe bestaat het' riep.

'We moeten het goedmaken,' zei mevrouw Dra, toen Willem naar huis was.
'Maar hoe?' vroeg de burgemeester.
'Ik denk dat ik iets weet,' vervolgde mevrouw Dra.
'Alweer?!' merkte de burgemeester op. 'Ik bedoel, meent u dat werkelijk?'
'Heeft u hier een grote zaal, mijnheer de burgemeester?'

48

'Tja eh…'

'De trouwzaal is behoorlijk groot,' opperde de commissaris.

'Mooi, dan maken we daar een toneelzaal van.'

'Een toneelzaal?!'

'Ja. Een toneelzaal. Wolven zijn dol op toneel. Wist u dat niet?'

'Natuurlijk wist ik dat,' sprak de burgemeester snel.

'Vooral als ze mogen meespelen, natuurlijk,' zei mevrouw Dra.

'Nou, dan doen we dat toch,' zei de burgemeester.

'Maar wat spelen we?'

'Wat vindt u van Roodkapje? Die Veertje mag Roodkapje zijn. Dat is een mooie beloning voor haar heldhaftige gedrag. Willem is natuurlijk de wolf en ik speel de oude, zieke grootmoeder.'

'Zoiets kan in ieder geval niet misgaan,' vond de commissaris.

'Precies,' grinnikte mevrouw Dra. 'Dat lijkt me haast onmogelijk.'

De volgende ochtend was Willem al vroeg aan het werk. Hij zat op zijn knieën en verwijderde het onkruid uit zijn bloemperkjes.

Opeens voelde hij een kleine hand op zijn schouder.

'Veertje?!'

'Ja, ik mocht toch bij je langskomen?'

'Jij laat er ook geen gras over groeien,' lachte Willem.

'Maar jij wel,' zei Veertje. 'Moet je eens kijken hoe hoog het daar staat. Heb je een maaier?'

Even later was Veertje drukdoende Willems grasperkje een beurt te geven.

Toen dat klaar was, dronken ze limonade en vertelde Willem wat over de planten en dieren rond zijn huis.

'Wat weet jij er veel van, zeg,' zei Veertje bewonderend. 'Hoe komt dat?'

'Ik weet het niet,' zei Willem. 'Misschien omdat ik altijd goed om mij heen kijk.'

Er stopte een auto waar een heer in een keurig pak uitstapte.

'Papa,' riep Veertje. 'Wat kom jij hier doen?'

'Dat mag ik ook wel aan jou vragen,' zei Van Spijkeren. 'Maar het komt in ieder geval goed uit.'

Toen vertelde hij van het nieuwe plan van mevrouw Dra.

'Lijkt me leuk samen met jou in een stuk te spelen, Willem,' zei Veertje. 'Nee maar, wat hebt u een grote tanden…'

'Hè…' zei Willem, terwijl hij aan zijn tanden voelde.

Veertje viel haast van haar stoel van het lachen. 'Dat zeg ik tegen je als je mijn oma hebt opgepeuzeld.'

'Je oma opgepeuzeld?'

'Ken je het sprookje van Roodkapje dan niet?!'

'Roodkapje?'

Veertje sloeg haar ogen ten hemel. Wie kende dat sprookje nou niet?

50

'*Dat is om jou te kunnen opeten!*' klonk het opeens hard in haar oor.

'Oeioeioei,' schrok Veertje.

Nu was het Willems beurt om te lachen.

'Natuurlijk ken ik het wel. Ben jij daar even mooi ingetrapt!'

'Dus ik neem aan, Willem, dat je meedoet?' vroeg Van Spijkeren hoopvol.

'Ja hoor,' zei Willem. 'Ik zou Veertje niet teleur willen stellen.'

'Hoera!' riep Veertje, terwijl ze een radslag op het gemaaide grasveldje maakte.

'Mooi,' zei Van Spijkeren. Hij liep naar zijn dochter toe. 'Ik ben natuurlijk reuzetrots op je. Maar hoe zit het nou eigenlijk met het volgen van je lessen. Had je vanmorgen niet op school moeten zijn?'

'Ik eh… ik heb eh…' stotterde Veertje. 'Ik heb vandaag heel veel van de natuur geleerd, pap. Wist jij dat een galwesp een eitje op een eikenblad legt? Kijk, hier heb ik er een.'

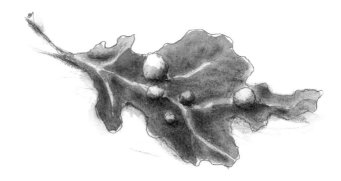

'Is dat zo? Nee maar, daar zit een knobbeltje op dat blad. Inderdaad. Je hebt dus een natuurproject vandaag?'

'Zoiets ja.'

'Mooi zo,' zei Van Spijkeren opgelucht. 'Dan kan ik de burgemeester en de commissaris geruststellen. Nou, nog veel succes met dat project. Ik haal straks eikenbladsla voor ons avondeten, dan kun je me nog eens uitleggen hoe het zit met die wesp.'

Roodkapje

'Hoe moet ik jullie nou toch opeten?' vroeg Willem, toen ze aan het repeteren waren. 'Ik bedoel, zodat iedereen in de zaal denkt dat het echt is.'
'Die vraag verwachtte ik al,' zei mevrouw Dra. 'Daar heb ik een prima oplossing voor. We spannen een dun, wit doek voor het bed van Grootje. Als je er een felle lamp achter zet, zien de mensen je als een schaduw en dan kun je alles heel echt laten lijken.'
Willem zuchtte opgelucht. 'Mooi. Wanneer kunnen we daarmee beginnen?'
'Zo gauw mogelijk,' antwoordde mevrouw Dra.

Bij de volgende repetitie stond alles klaar.
'Ik ga op de achterste rij zitten,' zei Veertje, nadat ze een tijdje hadden geoefend. 'Ik wil wel eens zien, hoe het er vanaf daar uitziet.'
Het was een spannend gezicht om de schimmen achter het doek met het beddengoed te zien zwaaien. Mevrouw Dra gilde en Willem gromde, tot je hem met een dikke buik in bed zag liggen.
Veertje klapte enthousiast in haar handen. 'Hartstikke goed. Net echt.'
Mevrouw Dra kwam achter het doek vandaan en zwaaide vriendelijk.

'Het wordt nog echter dan je lief is, meisje,' mompelde ze vals.

Eindelijk was de langverwachte avond aangebroken. Op het podium stonden Willem en Veertje achter het gordijn te kijken hoe de zaal volliep.

'Kijk, daar heb je het meisje van de kaas,' fluisterde Willem. 'En daar is de caissière.'

Veertje sprong opgewonden op en neer, terwijl ze Willem bij de spleet in het gordijn wegduwde. 'Mijn vader! Hij zit achter de burgemeester en de commissaris op de tweede rij. Zie je hem?'

'Als je me niet wegduwt.'

'Ben jij zenuwachtig?'

'Nou en of.'

'Ik ook,' bekende Veertje.

Maar toen het stuk begon, waren de zenuwen als bij toverslag verdwenen.

Halverwege de voorstelling draaide de burgemeester zich om.

'Dat die dochter van jou zo goed toneel kan spelen,' fluisterde hij tegen Van Spijkeren.

'Ja, ja,' knikte die trots. 'Maar Willem en mevrouw Dra kunnen er ook wat van hoor.'

'Opletten, Diederick,' stootte de vrouw van de burgemeester haar man aan. 'Nu komt dat enge van dat opeten. Houd mijn hand eens vast.'

'Grauw!' deed Willem. 'Grauwauwauw!!'

Klappende kaken, graaiende klauwen en woeste bewegingen deden de zaal rillen.

'Grauwww!!'

Nu liet Willem zich samen met Grootje achter het bed vallen. Daar moest hij een kussen onder zijn kleren schuiven en dan…

Maar wat was dat…? *Pats*, daar kreeg hij een kwast rode verf midden in zijn gezicht. Meteen sprong mevrouw Dra op en rende krijsend achter het doek vandaan.

'Hij heeft me gebeten!' gilde ze. 'Hij wil me opeten! Help me!'

Ze wankelde en greep naar haar arm. Op het podium leken enkele druppels bloed te vallen.

'Ik wist wel dat wolven onbetrouwbaar zijn! O, help, waaraan heb ik dit verdiend,' riep ze half huilend.

Het werd muisstil in de zaal. De mensen wisten niet wat ze ervan moesten denken. Hoorde dit bij het toneelstuk?

Willem, die er niets van begreep, kwam vanachter het doek tevoorschijn.

'Ga weg, lelijk monster,' gilde mevrouw Dra.

Inmiddels was Roodkapje ook op het toneel verschenen.

'Roodkapje, kijk uit,' klonk het uit de zaal. 'Die wolf wil je opeten.'

'Dat moet ook,' riep Veertje. 'Ik bedoel, het is niet echt. En Willem doet niemand kwaad. Heus niet. Het is een misverstand. Er zit gewoon rooie verf op zijn neus.'

Het werd doodstil.

Van dat moment maakte mevrouw Dra handig gebruik.

'Precies,' riep ze, terwijl haar ogen een vreemd licht begonnen uit te stralen. 'Als u mij nu even allemaal aankijkt, zal ik het uitleggen.'

Even later had ze iedereen in haar blik gevangen.

Mevrouw Dra hief haar handen: 'Niemand is meer veilig als Willem losloopt,' schalde haar stem door de trouwzaal. 'Hij moet worden op-ge-slo-ten, op-ge-slo-ten, op-ge-slo-ten!'

'Op-ge-slo-ten, op-ge-slo-ten,' herhaalde de gehypnotiseerde zaal als één groot koor.

'Het is verf,' probeerde Veertje er wanhopig bovenuit te roepen. 'Willem is onschuldig.'

Maar de enige die haar verstond, was mevrouw Dra.

'Kijk mij eens in mijn ogen, Veertje,' siste ze.

Maar als Veertje iets niet van plan was, was het dat wel.

Ze greep Willem bij een arm en trok hem tussen de decorstukken door naar achteren tot ze in een smalle gang stonden.

'Wat...' begon Willem.

'Straks,' hijgde Veertje. 'Er is nu niets meer aan te doen. Luister maar.'

Je kon duidelijk horen dat de toeschouwers het podium aan het beklimmen waren. 'Op-ge-slo-ten, op-ge-sloten,' klonk het uit honderden kelen.

'Kom mee!' riep Veertje.

Gelukkig kende ze goed de weg in het gemeentehuis. Via een wirwar van gangen kwamen ze bij een zware deur waar een groen oplichtend bordje NOODUITGANG boven hing. Veertje duwde een metalen stang omhoog en de deur zwaaide open.

De frisse avondlucht woei hen tegemoet.

Ze renden naar de jeep.

'Naar huis?' vroeg Willem.

'Daar zoeken ze je 't eerst.'

'Maar ik heb toch niets gedaan?'

'Dat weten alleen jij, ik en mevrouw Dra.'

Ze dacht even na: 'Je moet naar de boerderij van

mevrouw Dra rijden, Willem. Daar zullen ze ons niet zoeken. En ik heb zo het gevoel dat het wel eens nuttig zou kunnen zijn om er een kijkje te nemen.'

Willem keek haar verbaasd aan, maar hij begreep dat het nu niet de tijd was om vragen te stellen.

Vlak bij de boerderij parkeerde Willem zijn auto achter een paar bosjes.

'Kom,' fluisterde Veertje.

Samen slopen ze in de richting van het gammele bouwsel.

Willems hart klopte in zijn keel. Zoiets was niets voor hem. Het verbaasde hem dat hij zich door Veertje had laten meeslepen. Hij had veel liever aan iedereen uitgelegd dat alles op een misverstand berustte.

Voorzichtig deed Veertje de deur open, die akelig knarste. Ze kwamen in een kleine gang. Aan het eind was nog een deur.

'Weet je zeker dat je dit wilt?' fluisterde Willem.

Veertje knikte en opende de deur van de woonkamer. Op een houten tafel stonden aardewerk potten en glazen kolven. Papieren met vreemde tekens lagen overal verspreid. Aan de balken van het plafond hingen geraamtes van vleermuizen, ratten en padden.

'Brrrr,' zei Willem.

'Tweemaal brrrr,' zei Veertje.

'Driemaal brrrr,' klonk een stem vanuit een hoek.

Als door een speld gestoken, draaiden ze zich om.

58

'Goeienavond samen,' zei Bulle, die met zijn voor-
poten op een opengeslagen boek lag. 'Wat een ver-
rassing. Roodkapje en de Wolf zo te zien. Die komen
niet alle dagen langs.'
'Kun jij praten?' was het eerste dat Veertje wist uit te
brengen.
'Sinds vijf minuten,' antwoordde Bulle.
'Niet slecht voor vijf minuten,' zei Willem.
Ze liepen naar de hond toe.
Die ging op het boek zitten en ontblootte zijn tanden.

'Jullie komen voor het Draboek, hè. Nou, mooi niet dus. Althans niet voordat ik mezelf heb teruggetoverd.'

'Teruggetoverd?!' riepen Veertje en Willem tegelijk.

'Ja. Je kunt het geloven of niet, maar eigenlijk ben ik een kater. Een mooie, pikzwarte kater,' gromde Bulle. 'Tot mijn meesteres in een kwaaie bui was en mij in een lelijke, plompe hond veranderde. Altijd als die heks weg is, probeer ik mezelf terug te toveren. Helaas is het me nog niet gelukt, zoals jullie kunnen zien. Ik kan nu wel praten, maar daar heb ik mijn zachte, harige velletje niet mee terug.'

'Heks?!'

'Een rasechte heks,' knikte Bulle.

'Luister eens, Bulle,' zei Veertje. 'Als jij ons wilt helpen, zullen wij jou helpen.'

'Hoe bedoel je?' vroeg Bulle argwanend.

'Wij zijn op de vlucht voor je meesteres en ik denk dat dat Draboek, zoals jij het noemt, ons daarbij van dienst kan zijn. In ieder geval zal mevrouw Dra, als we het meenemen, een stuk minder kwaad kunnen doen.'

'En ik dan?' vroeg Bulle. 'Als ze terugkomt, ben ik de gebeten hond. Wie weet wat ze me aandoet, als ze merkt dat het boek weg is.'

'Jij gaat met óns mee,' zei Veertje. 'Ik denk dat ik een stuk sneller kan lezen dan jij. Ik zal mijn uiterste best doen je zo gauw mogelijk terug te toveren in de mooie kater die je vroeger was.'

60

Bulle kreeg een dromerige blik in zijn ogen, die meteen daarop in een wantrouwige veranderde. Je kon merken dat hij niet veel vriendelijkheid gewend was. 'Hoe weet ik dat jij je woord houdt?' baste hij. 'Daar moet je op vertrouwen, Bulle. We zitten in hetzelfde schuitje. Als mevrouw Dra ons tweeën hier vindt, tovert ze ons misschien wel in kikkers om en dan kunnen we je helemaal niet helpen.'
Bulle dacht kort na.
'Goed,' gromde hij toen en stapte van het boek af. 'Wat heb ik te verliezen? Niets toch zeker? Maar we mogen wel opschieten. Ik heb zo'n idee dat ze eraan komt.'
Veertje pakte het boek en met z'n drieën renden ze naar de jeep.

Mevrouw Dra parkeerde haar kleine, zwarte auto op het erf. Ze was in een opperbest humeur. 'Het is voor elkaar, Bulle,' riep ze toen ze de kamer binnenging. 'Die wolf durft zich hier z'n leven lang niet meer te vertonen. We gaan meteen verhuizen. Hoor je me Bulle? Bulle... waar zit je toch?!'
Ongerust keek mevrouw Dra om zich heen. 'Er is iets niet pluis,' mompelde ze. 'Ik voel het.'

Een ijselijke kreet, die de vogels van hun takken deed opschrikken en de konijnen diep in hun holletjes liet rillen, steeg uit de boerderij op.

De vreselijke waarheid was tot mevrouw Dra doorgedrongen.

'Mijn boek!' hijgde ze. 'Iemand heeft mijn boek meegenomen.'

Ze liet zich in een stoel vallen en hapte naar adem.

'Ik moet nadenken,' mompelde ze, toen ze weer wat tot zichzelf was gekomen. 'Rustig blijven en nadenken.'

Ze loerde de kamer rond tot haar blik op een rood lintje viel. Ze raapte het op en rook eraan.

'Als ik het niet dacht,' gromde mevrouw Dra. 'Het haarlint van Roodkapje.'

Ze ging naar buiten en het duurde niet lang voor ze de bandensporen van Willems jeep in de zachte bosgrond ontdekte.

'Juist ja, dus die zit ook in het complot. Dan zullen die twee inmiddels wel begrijpen met wie ze te maken hebben. Maar waarom is dat ondankbare stuk hond van een Bulle met ze meegegaan?'

Mevrouw Dra ging terug naar binnen en pakte een oude, zwarte tas die ze met allerlei spullen vulde.

'Ik heb de eerste slag verloren,' siste ze. 'Maar ze moeten niet denken dat ik verslagen ben.'

Circus Tomba

Veertje zat naast Willem en genoot met volle teugen. Ze had in korte tijd veel spannende dingen meegemaakt. Dingen die aan avontuur en gevaar deden denken. Zeker nu er hekserij in het spel was.

'Waar gaan we naartoe, Willem?' vroeg ze. 'Heb je een plan?'

Willem schudde zijn hoofd.

'We zien wel,' zei hij. 'In ieder geval zo ver mogelijk bij die mevrouw Dra uit de buurt.'

Veertje keek naar Bulle die op de achterbank het Draboek bewaakte.

Hij vertrouwt ons nog steeds niet, dacht ze. Maar dat is natuurlijk niet zo gek als je al die tijd bij een heks hebt gewoond.

Ze zette de radio aan.

'… heeft de brandweer de brand in de luciferfabriek onder controle…' klonk de stem van de nieuwslezer. 'Deze is waarschijnlijk aangestoken. Wereldwijd is geconstateerd dat de nekken van giraffen gemiddeld vijf centimeter langer zijn geworden. In Lommer heeft een wolf getracht een grootmoeder te verslinden en is er vervolgens met Roodkapje als gijzelaar vandoor gegaan. De zaal volgde het gebeuren gehypnotiseerd. Verdere gegevens ontbreken nog. En dan nu het weer…'

'Wat een onzin!' riep ze verontwaardigd, terwijl ze de radio uitdeed. 'Hoe komen ze daar nou bij?'

'Een woord met drie letters,' antwoordde Bulle. 'Eenmaal raden.'

In de verte doemden lichtjes op. Niet lang daarna reden ze door een dorpje en na enig zoeken vonden ze de oprit naar een snelweg.

'Kijk,' wees Willem.

Op een wegwijzer stond: HOGE NOORDEN en daaronder: *1262 KM*.

'Wil je daar helemaal heen?' vroeg Veertje.

Willem knikte: 'Ik heb goede raad nodig,' zei hij. 'En de enige die mij die kan geven is Opa Wolf.'

'Maar heb je zoveel geld voor benzine en zo? En waar moeten wij slapen?'

Dat was inderdaad een probleem.

Zo reden ze, ieder met zijn eigen gedachten, door de inktzwarte nacht.

Willem dacht aan zijn verre familieleden.

Veertje aan het geld dat ze niet hadden.

En Bulle aan de beeldschone kater die hij, zeker weten, ooit geweest moest zijn.

Voor hen doemde een grote, verlichte tent op.

'Een circus,' bromde Bulle, toen ze dichterbij kwamen, 'maar zo te zien is de voorstelling allang afgelopen.'

'Mooi,' zei Willem. Hij nam een afslag en reed het circusterrein op. Daarna parkeerde hij de jeep netjes tussen de caravans van de artiesten.

'Volg mij,' commandeerde hij vastberaden.

Met z'n drieën liepen ze op de tent af. Bulle dribbelde oplettend achter Veertje aan, die het Draboek onder haar arm geklemd hield.

Toen ze bij de circustent gekomen waren, wrikte Willem twee ijzeren pennen los. Hij lichtte het zware doek op, waarna ze alle drie naar binnen kropen. Het duurde even voor ze iets in het duister onderscheidden.

'De achterkant van de tribune,' fluisterde Veertje.

Ze liepen er voorzichtig langs, tot ze een doorgang vonden die naar de piste leidde. Daar verspreidden enige lampen een zwak schijnsel. Maar het was genoeg om te zien dat er in het midden een berg zaagsel lag.

Bulle liep erheen en snoof. 'Lekker vers,' stelde hij vast.

'Als je geen geld hebt voor een hotel, ben je op een tent aangewezen,' zei Willem.

'En wat voor een,' antwoordde Veertje. 'Goed idee, Willem.'

Ze gingen languit op het zaagsel liggen en zagen hoog boven zich de omtrekken van spotlights, touwen en een trapeze.

Opeens voelden ze hoe moe ze waren.

'Slaap lekker,' geeuwde Willem.

'Als ik het boek mag...' klonk Bulle. 'Niet dat ik jullie niet vertrouw of zo...'

'Het is al goed,' zei Willem.

Daarna duurde het niet lang voor ze in slaap vielen. Willem en Veertje lagen op hun rug in het zachte zaagsel en Bulle op zijn buik op het harde Draboek.

Wie schudde daar toch aan zijn arm?

'Wakker worden, Willem. Willem, wordt eens wakker!'

Willem opende zijn ogen. Waar was hij?

Naast hem zat Veertje op haar knieën in het zaagsel.

'Natuurlijk... het circus,' mompelde hij.

Een man met een grote, gekrulde snor boog zich over hem heen. 'Koete morken, mienheer Woelf.'

Verschrikt schoot Willem overeind.

De man deed een stapje achteruit. Hij was gekleed in een rode, lange pandjesjas en een zwarte, gestreepte broek, waarvan de pijpen in twee rijlaarzen verdwenen.

'Aankenaam,' ging hij verder. 'Ieke benne die Tomba, directorie van deze circus, ja? En iek bekrijp dat jullie artiestie zijn. Late de mio eens raden, ja? Een clown... Dat zie ik aan die rood neuze, mienheer Woelf. En de prima donna jonge juffrouw met dat aardiglijke jurkje danse die koorden, ja?'

'En ik ben zeker de geit van de familie,' bromde Bulle verontwaardigd.

Directeuren van circussen zijn heel wat gewend. Maar een pratende hond?!

66

'Eh, dat doe ik… ik eh… ben pruikbreker… buik-
spreekster, eh…'
Veertje struikelde over haar eigen woorden. De direc-
teur mocht absoluut niet weten dat Bulle kon praten.
'Niemand spreekt met mijn buik,' klonk Bulle eigen-
wijs.
Maar directeur Tomba keek nu vooral naar Veertjes
mond.
Die klemde haar lippen op elkaar.
'Fantastico,' riep de directeur uit. 'Hoe u dat doet? Of
iek mogen je zeggen?'
'Ja hoor,' ging Bulle verder. 'Als hond ben ik niet
anders gewend.'
Tomba begon te lachen.
'Onkeloveliek. Ik zak die lippen niet eens beweek,
ja.'
'Je kijkt ook naar de verkeerde,' zei Bulle.
'Kom,' klonk het opeens. 'Ik laat Bulle even uit.'
Het volgende ogenblik had Willem Bulle opgetild.
'Ik hoef helemaal niet,' riep Bulle verontwaardigd.
'Watte ene acte sentiasione,' juichte Tomba. 'Ieke
contractere de jullie.'
'Pffff,' zuchtte Veertje, terwijl ze Willem en Bulle
nakeek.
'Maar waarom jullie kwaam kewoon niet naar mij
toe?' ging de directeur verder.
'We eh,' zei Veertje. 'We zijn gisteren nogal laat aan-
gekomen en eh…'

68

'Waar ies jullie waken dan?'

'Waken?'

'Caravanne.'

'Nou eh… ziet u eh… meneer Tomba, onze caravan eh… Die hebben we eventjes niet. We hebben alleen een jeep.'

'Aha, ieke bekrijpe! En jullie wilden mio niet wakkoer maak, ja?'

'Zo is het.'

'Jij komen mee.'

Even later liepen ze samen naar buiten.

'Nou, dat met die caravan lossen we zo op. Ik heb er nog een staan van een clown die overhaast de benen heeft genomen. Met een boel geld dat hij van mij had geleend. Dus heb ik zijn caravan gehouden. Jullie kunnen er zo in.'

Veertje keek hem verbaasd aan.

Tomba moest lachen.

'Dat koeterwaals van *die directorie* spreek ik alleen als ik in de tent en zo bezig ben. Dat hoort er een beetje bij, hè. Tenminste, dat vindt het publiek. Zo gauw ik de tent binnenkom, ga ik over op m'n zelfgemaakte circustaal.'

'Heet u ook geen Tomba?' vroeg Veertje.

'Welnee. Ik heet Peul. Jan Peul. Maar wie komt er nou naar circus Peul. Daarom is mijn grootvader met de naam Tomba begonnen. En zo heet het nog steeds.'

'Blijft u hier lang staan, mijnheer Tomba?'

'Vanavond nog reizen we af naar het noorden.'

'Het noorden?'

'Jawel, het noorden. Maar eerst even iets anders. Ik zal jullie goed betalen. Ik zie het al helemaal voor me. We zetten een camera op jou en die hond en vergroten alles uit op een scherm. Het publiek zal razend enthousiast zijn. Hoe zorg je er eigenlijk voor dat het dier op het juiste moment zijn bek open doet?'

'Ja eh...' stamelde Veertje.

'Zeg maar niets. Alle artiesten hebben hun geheimen,' grinnikte Tomba. 'Dus jullie trekken met ons mee?'

'Graag,' zei Veertje.

'Mooi, dan zal ik je nu de caravan laten zien. En daarna ga ik een leuk contractje opstellen.'

Natuurlijk vond Willem dat Veertje het goed had gedaan. Hij reageerde opgetogen, toen hij hoorde dat ze naar het noorden zouden gaan.

Zelfs Bulle kon vrede met de gang van zaken hebben. Vooral toen hij ontdekte dat er een kluisje in de caravan was, waar het Draboek veilig in kon worden opgeborgen.

'Maar het mooiste van alles is dat we nu artiesten zijn,' zei Veertje en ze klapte in haar handen. 'Artiesten van het beroemde circus Tomba!'

In de caravan vonden ze genoeg kleren en schminkspullen die ze konden gebruiken.

'We wassen die rooie verf eraf en maken een echte clown van je, Willem,' lachte Veertje.

'Maar eerst gaan we eten,' zei Willem die een goed-gevulde koelkast ontdekt had. 'Dekken jullie de tafel, dan doe ik wat eieren en ham in een pan.'

Varkensoortjes

Mevrouw Dra kon het spoor van Willem, Veertje en Bulle in haar zwarte autootje goed volgen. Dat kwam door haar neus. Daarmee kon ze, zoals de meeste heksen, mijlenver ruiken. Op elk kruispunt bleef ze even staan om de geur van Bulle, die ze het best kende, op te snuiven.

'Stom van ze om die sukkelige hond te ontvoeren,' grijnsde ze. 'Op deze manier duurt het niet lang, of ik heb dat stelletje ongeregeld bij de kladden.'

Maar daarin vergiste ze zich. Bulles geurspoor vermengde zich meer en meer met dat van olifanten, leeuwen, paarden en nog een dozijn andere circusdieren.

'Of ik word verkouden, of Bulle is in rook opgegaan,' mopperde ze de volgende ochtend. 'En omdat dat laatste onwaarschijnlijk is, tenzij ze een verkeerde spreuk uit mijn boek hebben toegepast, zal ik wel verkouden worden. Ik ga maar eens een hotelletje zoeken en lekker onder de wol kruipen. De hele nacht doorrijden heeft me natuurlijk ook geen goed gedaan.'

Het eerste hotel dat ze tegenkwam, droeg de naam De Gouden Trog. Een bord voor de ingang beweerde dat het bekend stond om z'n ruim gevulde aardappelsoep, varkensoorspecialiteiten en donzige dekbedden.

Mevrouw Dra kroop direct in bed en sliep een gat in de

dag onder een van die dekbedden, terwijl ze droomde over haar twaalf zussen. Die waren ook heksen, maar niet zo 'hekserig' als mevrouw Dra. Zo werkten sommige zussen als verpleegster in een ziekenhuis en een paar waren schooljuffrouw. Maar omdat streken uithalen hen nu eenmaal in het bloed zat, ontdekte een patiënt wel eens dat de wratten die onder zijn voeten hoorden te zitten, nu op zijn neus zaten. Of waren de negens en tienen die de kinderen op school hadden gehaald thuis opeens veranderd in tweeën en drieën. Dat soort onschuldige streken dus.

Maar in mevrouw Dra's droom werden die een stuk minder onschuldig. Ze wilde hen uitnodigen naar het Lommerbos te komen. De zussen konden dan in de hutten van de wolven wonen, terwijl zij haar intrek in Willems huis nam. Met behulp van haar boek zou ze haar zussen tot supergemene heksen kneden. Dertien heksen hebben samen een ongekend grote macht. Onder haar leiding zou het in Lommer…

De telefoon rinkelde en mevrouw Dra nam hem slaperig op.

'U wilde gewekt worden voor het diner?' klonk de vriendelijke stem van de receptioniste. 'Wel, over een half uur staan de varkensoortjes op tafel.'

'Mooi,' geeuwde mevrouw Dra en legde de hoorn neer. 'Daar had ik net trek in.'

Zweven

Willem had de caravan aan de jeep gekoppeld en zo reed hij samen met Veertje en Bulle mee in de lange stoet circuswagens. Want het circus ging, zoals directeur Tomba al had aangekondigd, op weg naar een nieuwe standplaats.

Omdat een circus zich niet snel verplaatst, zou de tocht enkele dagen in beslag nemen. Dat kwam goed uit. Nu hadden ze, als de stoet stilstond om de dieren te verzorgen, tijd om te oefenen voor hun optreden. Ze hadden afgesproken dat Willem een clown zou spelen, die geloofde dat Bulle echt kon praten. Het publiek moest echter denken dat Veertje dat deed, als buikspreekster. Zo zouden Veertje en Bulle allerlei fratsen met Willem uithalen.

'Je vindt het toch niet erg dat we je in de maling nemen?' vroeg Veertje.

'Heel erg,' zei Willem en hij begon te huilen. Als een waterval stroomden de tranen uit zijn ogen. Maar toen er ook een straal water uit Willems roodgestreepte bolhoedje spoot, begrepen ze dat hij hén in de maling nam.

In de stad Opperdam hingen overal affiches van het circus aangeplakt. Hier zouden ze twee weken blijven. Opperdam was een flinke stad en dat betekende veel

publiek. Iedere avond was de circustent dan ook goed gevuld.

Maar twee weken waren lang niet genoeg. De mensen die het nummer van Veertje, Willem en Bulle hadden gezien, waren zo enthousiast geworden dat ze het aan iedereen doorvertelden. Natuurlijk begreep het publiek wel dat het een buiksprekersact was. Maar het leek zo echt, dat ze dat al snel vergaten en Bulle het meeste applaus kreeg. Daardoor werd hij behoorlijk verwaand en eigenwijs, wat hun optreden nog leuker maakte.

'We doen er nog twee weken bij,' besliste Tomba. 'De kranten staan vol over jullie en binnenkort worden er tv-opnamen gemaakt. O, ik ben zo gelukkig dat jullie naar ons zijn toegekomen.'

Niet alleen de directeur was gelukkig. Ook alle andere artiesten waren blij dat de tent iedere avond vol zat. Want dat betekende dat er goed werd verdiend.

's Ochtends, als ze niets te doen hadden, las Veertje in het Draboek. Wat Bulle betrof, hoefde ze niet zo'n haast te maken met het omtoveren, al bleef hij natuurlijk diep in zijn hart naar zijn oude gedaante terug verlangen.

Als het nodig was, deed Willem met zijn jeep boodschappen in Opperdam. Op een dag vroeg Veertje of hij een kroontjespen en een potje inkt wilde meenemen.

'Ga je ook een Draboek schrijven?' vroeg Willem.

Veertje glimlachte geheimzinnig.

'Haal het nu maar, Willem,' zei ze. 'Ik leg het je later wel uit.'

's Middags, als er geen voorstelling was, kon je Veertje bijna altijd in de grote tent vinden. Dan keek ze vol bewondering naar de jongleurs, de tijgertemmer, de clowns en alle andere artiesten die in de piste oefenden. Maar ze genoot vooral van Miss Saltorina, die in haar blauwe glitterpakje aan de trapeze hoog in de nok van het circus door de lucht zwierde.

Op een van die middagen voelde ze plotseling een hand op haar schouder.

'Wil je een keertje mee naar boven, Veertje? Zo heet je toch hè?'

Naast haar stond Miss Saltorina in haar zijden ochtendjas. Haar anders zo strak opgebonden haar hing nu los over haar schouders.

Net zo rood als dat van mij, dacht Veertje.

'Nou...?'

Veertje knikte. 'Ik zou ook graag door de lucht willen vliegen.'

'Zweven,' zei Miss Saltorina. 'Mussen en kraaien vliegen. Maar wij luchtacrobaten zweven.'

'Dan wil ik graag leren zweven,' zei Veertje beslist.

En zo oefende ze elke dag met Miss Saltorina en de andere acrobaten. Eerst op twee meter hoogte in een tuigje dat vast zat aan touwen. Daarna steeds een stukje hoger. Tot ze uiteindelijk, helemaal los, een eenvoudige oefening aan de trapeze maakte. Ook leerde ze vallen in het grote vangnet: eerst even doorveren en daarna een klein stukje omhoog zwiepen, wat een fantastisch gevoel gaf.

Willem hield zijn hart vast als Veertje haar oefeningen deed, maar Miss Saltorina stelde hem gerust.

'Ze is niet alleen erg soepel, Willem, maar ze heeft ook talent voor dit vak.'

Dat vonden de andere luchtacrobaten ook. Ze oefenden dan ook graag met Veertje.

Alleen Bulle moest er niets van hebben: 'Gewoon met je vier poten op de grond blijven,' gromde hij.

Het koor

In zijn blokhut in het Hoge Noorden maakte Opa Wolf zich zorgen.

Iedere ochtend trokken de wolven erop uit om sneeuwhoentjes te vangen, maar iedere avond keerden ze met lege handen terug.

Dat kwam niet doordat er geen sneeuwhoentjes waren; het Hoge Noorden zat er vol mee. Maar de sneeuwhoentjes waren slim. Onverwachts scheerden ze zo laag over de wolven, dat die van schrik op hun neus in de koude sneeuw vielen. Of ze wachtten rustig tot de jagers vlakbij waren, om dan snaterlachend alle kanten op te stuiven en in het niets te verdwijnen. De brutaalste hoentjes maakten zelfs wolven van sneeuw met flaporen en hazentanden.

'Zijn jullie nu jagers?' kwekten ze. 'Jagers van lik-me-vessie zijn jullie.'

Ook de Wilde Wolven, die in het Hoge Noorden woonden, haalden hun neuzen op voor hun soortgenoten.

Met hun spierwitte vachten, zwarte zonnebrillen, geweren en kogelriemen dwars over hun borst, leken ze zo uit een film te zijn gestapt. Zíj keerden aan het eind van iedere dag beladen met sneeuwhoentjes terug naar hun iglo's.

'Jullie kunnen nog wat van ze leren,' zei Opa Wolf.

'Hoe we goede jagers moeten worden?' vroeg Harro Wolf.

'Nee, hoe jullie moeten huilen.'

Daar begrepen de Lommerbosse wolven niets van.

'Luister maar eens goed,' zei Opa. 'Vannacht is het volle maan.'

Die nacht luisterden ze allemaal naar het gehuil van de Wilde Wolven.

'En?' vroeg Opa de volgende ochtend.

'Ze hebben vast een heleboel verdriet,' geeuwde kleine Timo.

'Nee, Timo,' verbeterde Opa. 'Ze hebben geen verdriet. Ze huilen omdat ze dat leuk vinden.'

'En allemaal op een andere toon,' zei Wilbur Wolf.

'Precies,' zei Opa. 'Proberen jullie eens op dezelfde toon te huilen.'

Dat was best moeilijk, maar na een tijdje oefenen, lukte het toch aardig.

'Allemaal een toontje lager,' zei Opa, die als dirigent voor de troep stond.

Zo huilden ze de hele dag. Steeds op een andere toonhoogte. Tot Opa zei: 'Nu zijn jullie een echt koor. Morgen huren we van onze laatste eurootjes een bus en trekken naar het zuiden. Onderweg treden we op en van het geld dat we verdienen, kopen we weer gewoon kippetjes.'

'In de supermarkt?'

Opa knikte.

'Hoera!' juichten de wolven. 'We gaan meteen onze koffers pakken.'

Een kater

Mevrouw Dra zat nog altijd in hotel De Gouden Trog.

Ze was ten einde raad.

'Twee weken al,' gromde ze. 'Twee weken rijd ik al rond. Ik voel dat ze hier in de buurt zijn, maar ik kan ze verdorie niet vinden!'

Ze pakte de afstandsbediening en ging voor de tv zitten.

'... dus morgen is het opnieuw een grijze dag...'

Zap

'... voelt u zich lusteloos? Neem dan...'

Zap

'... de bal gaat van de Stramme met een boogje naar Hollebeen...'

Zap

'... terwijl de polen steeds verder afsmel...'

Zap

'... is deze buikspreekster met haar hond...'

Zap

'... helaas bracht de minister...'

Mevrouw Dra schoot rechtop in haar stoel.

Zap

'... is een bezoek aan circus Tomba, dat momenteel in Opperdam staat, meer dan waard. En dan nu het weer...'

'Dat was Bulle,' hijgde mevrouw Dra. 'En die meid. Die Vera of Veertje. Ik zag het duidelijk. Circus Tomba! Opperdam!'

Ze griste een autokaart uit haar tas en grijnsde vals. 'Tijd voor Tante Dra om een bezoekje aan het circus te brengen. Een bezoekje dat zeker de moeite waard zal zijn.'

Mevrouw Dra liet er geen gras over groeien. De volgende avond al zat ze onopvallend tussen de Opperdammers op de tribune. Ze applaudisseerde braaf met iedereen mee en deelde snoepjes uit aan de kinderen die naast haar zaten.

In de pauze was er gelegenheid om voor een klein bedrag de wagens van de dieren te bezichtigen. Ook mevrouw Dra nam die gelegenheid te baat. Na de wagen met de tijgers glipte ze ongemerkt weg en liep het terrein op waar de woonwagens stonden.

De gele jeep van Willem was niet moeilijk te vinden. Voorzichtig spiedde ze door het raampje van de kleine caravan ernaast.

'Als ik het niet dacht,' gromde ze. 'Daar ligt dat luie mormel te slapen.'

Ze moest de neiging onderdrukken naar binnen te stappen en Bulle in zijn nekvel te grijpen.

'Rustig blijven, Dra,' mompelde ze. 'Je moet een goed plan bedenken. Een plan dat niet kan mislukken.'

In de verte klonk het geluid van een gong. Dat betekende dat de voorstelling weer verder ging.

Mevrouw Dra haastte zich terug en was precies op tijd om het orkest de eerste maten in te horen zetten. Vol ongeduld wachtte ze op Willem, Veertje en Bulle. Het duurde lang, want hun nummer was het laatste van alle optredens. Maar eindelijk was het zo ver. Onder luid applaus kwamen de drie op en begonnen aan hun inmiddels beroemde buiksprekersnummer.

Natuurlijk had mevrouw Dra meteen door hoe de vork in de steel zat. Hier was geen sprake van buikspreken. Ze hadden haar boek gebruikt om van Bulle een sprekende hond te maken.

Er ontstond een plan in haar boze brein. Een plan waarmee ze twee vliegen in een klap kon slaan.

Iedere dag vroegen Willem en Veertje aan Bulle met hen mee te gaan als de voorstelling begon. Half verscholen achter het zware gordijn, dat van de orkestbak naar beneden hing, genoten ze namelijk van de artiesten die in de piste aan het werk waren.

Maar iedere keer antwoordde Bulle dat ze hem maar moesten komen halen als hij op moest.

'Een ster als ik gaat niet achter een gordijn staan wachten. Trouwens, ik doe voor mijn optreden graag een schoonheidsslaapje. Dus als jullie zo goed willen zijn de deur zachtjes dicht te doen…' Daarna legde hij zijn kop op zijn poten en begon een partij hout te zagen, waarmee je een flinke schuur kon vullen.

Zo ook deze avond. Alleen verliep die anders dan Bulle zich had voorgesteld.

'Au! Is dat een manier om mij wakker te maken,' gromde Bulle. 'Laat mijn oor onmiddellijk los of…'

'Of wat… honneponnetje van me?' klonk een bekende stem.

Bulle schoot overeind.

'Mevrrr… mevrrr… Drrr… Drrr… Drrra!' stotterde hij. Was dit een afgrijselijke droom? Een eng soort nachtmerrie?

'Mooi zo,' snauwde mevrouw Dra. 'Je bent me dus nog niet vergeten.'

'Www… www… wwat… wwat…'

'Wat ik kom doen? Je pootafdruk vragen natuurlijk, nu je zo'n beroemdheid bent geworden.'

Bulles gezicht klaarde op. Dit moest wel een droom zijn. En wat voor een! Daar mocht hij voorlopig niet uit ontwaken.

'Dat verandert de zaak,' sprak hij minzaam. 'Maar zoiets doe ik alleen voor de echte, trouwe fans na afloop van mijn optreden. Wanneer ik niet te moe ben natuurlijk. Maar als u mijn oor, waaraan u mij zo nodig hardhandig moest wekken, voorzichtig masseert, maak ik misschien een uitzondering.'

Mevrouw Dra liep rood aan. Haar ogen werden gloeiende kooltjes, terwijl ze met geklauwde handen op Bulle afstapte.

'Jij verwend stuk vreten van een hond!' brieste ze. 'Nog één zo'n opmerking en ze eten vanavond in De Gouden Trog hondenoortjes.'

Wie of wat De Gouden Trog was, wist Bulle niet, maar hij had wel door dat dit geen droom was. Bang piepend kroop hij zo ver mogelijk in een hoek bij mevrouw Dra vandaan.

Die begreep dat het op deze manier niet echt opschoot. Veertje en Willem konden ieder moment komen opdagen en daar zat ze bepaald niet op te wachten.

'Luister Bulle,' teemde ze. 'Ik wil je geen kwaad doen. Integendeel. Ik vergeef je dat je me ontrouw geworden bent. Ik kom alleen maar halen wat van mij is en daarna vertrek ik weer.'

'Het Draboek?'

'Noemen jullie mijn magische boek zo? Nou ja, dat doet er niet toe. Als jij mij daarbij helpt, help ik jou. Voor wat hoort wat, nietwaar? Vertel mij eens wat je het liefst zou willen.'

Daar moest Bulle even over nadenken. Hij vond het moeilijk zijn sterrenstatus in te leveren. Aan de andere kant, als hij als kater kon blijven praten, kon hij ook blijven optreden.

'Natuurlijk kan dat,' zei mevrouw Dra, toen hij dit voorzichtig kenbaar maakte. 'Koud kunstje. Tenminste, als ik mijn Dráboek weer heb.'

Met een schuin oog keek Bulle naar het kluisje. De heks volgde zijn blik.

'Je vertrouwt me nog niet helemaal, hè?'

'Ach,' zei Bulle. 'Ik ken u een beetje.'

Mevrouw Dra deed haar best niet opnieuw in woede uit te barsten.

'Wat dacht je van de hekseneed, Bulle?' zei ze zoetsappig. 'Je weet dat die nooit gebroken kan worden.'

'Dat is waar,' klonk Bulle opgelucht. 'Nou, als u die eed doet en zweert dat ik mijn ouwe katerse zelf weer word en dat ik dan net zo goed praat als nu…'

Mevrouw Dra draaide haar vingers in een heksenknoop en kruiste haar handen voor haar borst: 'Hierbij zweer ik dat ik Bulle in een pratende kater terugtover, zo gauw ik het magische boek heb.'

'De combinatie is 1-2-3-4-5-6-7,' zei Bulle, 'maar als je er een flinke klap tegen geeft, wil 't deurtje ook wel open gaan.'

'Dat kan altijd nog,' bromde Mevrouw Dra en begon aan het schijfje te draaien. De kluis sprong open en het volgende ogenblik had ze het boek te pakken.

'Dat is één,' juichte ze.

'Vergeet twee niet,' herinnerde Bulle haar.

Maar mevrouw Dra was de omtoverformule al aan het opzoeken. Even later maakten haar vingers draaiende bewegingen en prevelde ze vreemde klanken. Aan de binnenkant van Bulles huid begon het te prikken alsof er duizenden dennennaalden doorheen wilden. Vurige cirkels draaiden voor zijn ogen en hij kreeg het gevoel een accordeon te zijn die in- en uitgetrokken werd.

'Auw-wauw-woef-wauw-miauw-auw-auw,' kreunde hij, terwijl hij zijn ogen dichtkneep en zich op de grond liet zakken.

Gelukkig verdwenen de pijnlijke gevoelens vrij snel, waarna Bulle zijn ogen weer durfde te openen.

'Nou, wat vind je ervan?' vroeg mevrouw Dra.

'Prachtig,' zei een kater met een stem die een stuk hoger klonk dan een paar minuten geleden. 'Wat een mooie, zwarte haren. Ik ga me meteen wassen voor mijn komende optreden.' Hij begon zich ijverig te likken. 'Ik denk dat ik – *lik* – me maar – *lik* – Sergio noem. Dat staat – *lik* – goed op de – *lik* – aanplak-biljetten van het circus. Sergio de – *lik* – pratende ka-ter.'

'Die aanplakbiljetten moeten maar even wachten,' zei mevrouw Dra, terwijl ze Sergio met een snelle greep in zijn nekvel pakte. 'Als eenzame oude vrouw kan ik wel wat gezelschap gebruiken. Dan heb ik tenminste wat aanspraak.'

Met het boek onder haar ene en de tegenspartelende Sergio onder haar andere arm, stapte ze naar buiten.

'Hoe zit het met die hekseneed?' kreunde de arme kater.

'Die ging niet over het terugnemen van rechtmatig eigendom,' zei mevrouw Dra. 'Absoluut niet.'

Een open kluisje, het verdwenen boek en een spoorloze Bulle. Veertje keek Willem aan. Allebei dachten ze hetzelfde. En toen Willem een rekening van hotel De Gouden Trog op naam van mevrouw Dra op de grond vond, wisten ze het zeker.

'We moeten meteen naar Tomba,' zei Veertje.

Die schrok natuurlijk 'keweldiek'.

'Ies krote problemo.' Handenwringend liep hij rondjes door de piste. 'Poebliekum zal vol verdriet zijn.'

Dat vonden Veertje en Willem ook heel erg. In de korte tijd dat ze bij de artiesten van circus Tomba hoorden, hadden ze geleerd dat je je publiek nooit mocht teleurstellen. Met grote moeite namen ze dan ook afscheid van Tomba. Ze moesten echter zo snel mogelijk achter Bulle aan. Wie weet wat die lelijke heks met hem van plan was. Vlug haalden ze wat spullen uit de caravan, sprongen in de jeep en reden het terrein af.

Vrijwel tegelijkertijd draaide een grote bus het circusterrein op. Langzaam reed het gevaarte naar de ingang van de tent. Er stapte een wolf uit met een baseballpetje op zijn hoofd en een sigaar in zijn hand, die naar de directeur vroeg.

Deze liet niet lang op zich wachten.

'Wij zijn het huilende wolvenkoor,' zei Opa Wolf. 'Als u ons misschien kunt gebruiken?'

De directeur stapte de bus in.

Meteen begonnen de wolven in koor te huilen, zoals Opa het ze had geleerd.

'Nou?' vroeg Opa toen ze uitgehuild waren.

'Een wereldnummer,' zei Tomba. 'Ik moet ook huilen. Maar dat zijn vreugdetranen. Beste wolven, jullie komen als geroepen. Ik neem jullie meteen aan.'

'Waar vinden we dat hotel?' mompelde Willem vanachter het stuur.

'Volgens de rekening staat dat hotel in Boerenveen,' zei Veertje. Ze pakte de kaart en begon te zoeken.

'Kun je het vinden?'

'Hmm, wacht even... C 3... eens kijken... Ja, daar ligt het. Een klein plaatsje op een paar uur hiervandaan, schat ik zo.'

'Mooi,' zei Willem. 'Op naar Boerenveen.'

Het felle schijnsel van de koplampen priemde door de donkere nacht. Het deed Veertje denken aan die eerste rit, toen ze op de vlucht waren voor mevrouw Dra. Nu was het omgekeerd. Ze vroeg zich af of het

wel verstandig was zomaar achter die toverkol aan te
gaan. Nu ze haar boek weer had, was ze dubbel zo
gevaarlijk. Aan de andere kant konden ze Bulle toch
ook niet aan zijn lot overlaten. Per slot van rekening
hadden zij hem overgehaald met hen mee te gaan.

Ook dacht ze aan Miss Saltorina en de andere artiesten en zuchtte diep. Ze had niet eens tijd gehad om
afscheid te nemen.

'Ik weet wat je denkt,' zei Willem.

Veertje keek hem verbaasd aan.

'Je had van iedereen afscheid willen nemen. Vooral
van Miss Saltorina.'

Veertje begon te lachen: 'Als we nog eens bij een circus gaan werken, kun jij optreden als gedachtelezer.'

'Sommige gedachten zijn niet zo moeilijk te lezen.
Toen jij zuchtte, dacht ik ongeveer hetzelfde.'

'Zal ik ze ooit terugzien?'

'Ik heb zo'n gevoel van wel,' zei Willem peinzend.
'Maar je moet me niet vragen waarom.'

'Vraag me dan maar iets anders,' zei Veertje.

'Dan vraag ik je of we bij die stoplichten nog steeds
rechtdoor moeten.'

'Nee,' antwoordde Veertje na een korte blik op de
kaart. 'Ga maar rechtsaf.'

Zo stonden ze rond middernacht voor de receptie van
hotel De Gouden Trog. Ondanks het late uur was die
nog open.

'Mevrouw Dra?' zei een vriendelijk meisje, 'die heb ik vanmiddag uitgeschreven.'

'U weet waarschijnlijk niet waar ze naar toe is?' vroeg Willem.

'Jawel hoor,' zei het meisje. 'Ze wilde namelijk dat ik voor haar een ander hotel boekte. Dat doen wij wel meer als extra service.'

'Kunt u ons zeggen welk hotel?'

'Tja, ik weet niet of ik dat...' aarzelde het meisje.

'Ik zal het uitleggen,' zei Veertje. 'Wij komen van circus Tomba...'

Het meisje klapte in haar handen. 'Dus toch... Ik dacht al dat ik jullie herkende. Jullie zijn toch van die sprekende hond? Dat heb ik op de televisie gezien.'

'Ja,' zei Willem. 'Dat zijn wij.'

'En mevrouw Dra heeft iets wat wij dringend nodig hebben voor ons optreden,' merkte Veertje, niet geheel bezijden de waarheid, op.

'In dat geval,' zei het meisje, 'help ik jullie graag. Ik heb een kamer voor die mevrouw geboekt in Griezelstein.'

'Griezelstein?!'

'Dat is een hotel in een oud kasteel. Vroeger heette het De Ridderslag, maar toen kwam er haast niemand. De huidige eigenaar bedacht dat mensen tegenwoordig meer van griezelen dan van ridders houden en dus heeft hij er Griezelstein van gemaakt. Kinderen kunnen er verjaardagspartijtjes vieren en voor de gewone gasten hebben ze 's nachts geesten op de gangen. Hoe het precies zit, weet ik het ook niet, maar je moet in ieder geval verkleed zijn om er te kunnen logeren.'

Willem en Veertje keken elkaar aan. Zoiets was natuurlijk geknipt voor mevrouw Dra.

'Het loopt het als een trein,' besloot het meisje. 'Ja, je moet er tegenwoordig wat voor doen om gasten te trekken. Wij zijn bijvoorbeeld gespecialiseerd in varkensoortjes. Wilt u misschien een bordje? We hebben altijd wel wat warm staan in de keuken.'

'We hebben liever een kamer voor één nacht,' zei Willem. 'Dan gaan we morgen wel op zoek naar dat hotel.'

'Een kamer met ontbijt?'

'Als jullie ook pindakaas en hagelslag hebben,' zei Veertje gauw.

'Hebben we,' lachte het meisje. 'Hoewel de gebakken-oortjes-met-spek-tosti onze specialiteit is.'

Bij de gedachte alleen al draaide Veertjes maag zich om. 'Nee hè,' klonk het kreunend.

'Nou ja, niet iedereen heeft dezelfde smaak,' zei de receptioniste begrijpend. 'Als jullie hier even tekenen. En misschien ook nog hier op dit lege blaadje? Dan heb ik jullie handtekeningen voor in mijn plakboek.'

Griezelstein

Willem en Veertje gingen de volgende ochtend vroeg op pad. Ze hadden al een flink eind gereden toen ze aan de kant van de weg een bord zagen staan met de tekst:

GRIEZELSTEIN
Uw ideale vakantieadres!
Ook voor bruiloftsfeesten en partijen.
Onderga al uw angsten live!
Weekendarrangementen
en speciale tarieven.
Derde afslag rechts het bos in.

De derde afslag rechts bracht hen bij een smal weggetje met overhangende takken, dat bij een groot, ijzeren hek uitkwam. Zonder dat ze iets hoefden te doen, draaide het hek langzaam open en konden ze verder rijden over een laan, met aan weerszijden weelderig groeiend onkruid.

Recht voor hen doemde nu het kasteel op.

'Net een plaatje uit m'n geschiedenisboek,' zei Veertje. 'Het heeft zelfs een echte ophaalbrug.'

Ze parkeerden de auto en liepen over de brug tot ze voor de zware, hoge kasteeldeuren stonden. Op een koperen plaat hing een metalen klopper. Willem liet hem met een klap neerkomen, waarna de deuren

piepend en knarsend openzwaaiden. Er was echter niemand te zien. Voorzichtig stapten ze naar binnen. Achter hen sloten de deuren zich met hetzelfde naargeestige geknars.

Ze bevonden zich nu in een grote hal die schaars verlicht werd door flakkerende fakkels. Aan het eind zagen ze een tafel die met een zwart kleed was bedekt. Langs de muren stonden, op enige afstand van elkaar, harnassen. Sommige droegen zwaarden, andere hielden een lans vast.

'Ze mogen ze wel eens afstoffen,' zei Veertje. 'Die ijzeren kerels hangen vol spinrag.'

Opeens pakte ze Willem bij een arm. 'Verbeeld ik het me of bewoog een van die dingen?'

'Dat komt misschien door de vlammen van de fakkels,' zei Willem. 'Dat spiegelt op het ijzer en dan lijkt het net...'

'Hij bewoog wel!' riep Veertje. 'En die ijzeren jongen daar aan de andere kant ook!'

Rinkelend maakten twee harnassen zich van hun plek aan de muur los. Ze stelden zich aan beide kanten naast hen op en wezen zwijgend naar de tafel met het zwarte kleed.

'Ik denk dat het de bedoeling is dat we verder lopen,' zei Willem kleintjes.

Op de tafel stond een koperen bel. Voorzichtig pakte Willem hem op. Toen hij de bel heen en weer bewoog, dreunde het geluid van zware kerkklokken door de ruimte. En alsof ze daar nog niet genoeg van schrokken, schoot er van achter de tafel een geraamte omhoog dat hen met vurige ogen aankeek. Het legde een hand op de plek waar ooit een hart had gezeten en maakte een buiging, waarbij zijn hoofd op het zwarte kleed rolde. Willem kon het nog net opvangen, anders was het zeker op de grond gevallen. Op dat moment doofden de fakkels en gingen er allerlei gekleurde lichten aan. Hun begeleiders rinkelden terug naar de muur en verdwenen achter draaiende panelen, evenals hun kameraden. Vrolijke schilderijen verschenen aan de wanden, de tafel klapte in elkaar en zakte evenals het geraamte in de vloer weg. Uit die vloer kwam een balie tevoorschijn met een achterwand vol kastjes en sleutels, zodat het geheel opeens aan een receptie van een hotel deed denken. Op de rand van de balie zat, met gekruiste benen, een mannetje in een keurig pak, dat maar net een hoofd groter was dan Veertje. In zijn hand hield hij iets wat op de afstandsbediening van een televisie leek.

'Hartelijk welkom,' zei het mannetje, terwijl hij op de vloer sprong. 'Niets is wat het is, of beter gezegd wás. Spinnenwebben uit een spuitfles, geharnaste robots, projecties en alle effecten computergestuurd. Iedereen is altijd weer onder de indruk van deze entree. Ik ben Gustaaf, eigenaar, receptionist, technicus, onderhoudsmonteur, tuinman, enzovoort, enzovoort van hotel Griezelstein.'

Hij wees met het apparaat in zijn hand naar de vloer achter hen en er kwamen twee gemakkelijke stoelen omhoog.

'Gaat u zitten. Wat kan ik voor u doen?'

'Die eh… schedel,' zei Willem.

'Gewoon plastic. Inwisselbaar. Niets bijzonders. De eigenaar mist hem niet. Als u nu even op het neusbotje drukt… zo ja, dan springt er een sleutel uit met uw kamernummers. Leuk hè!'

'Ik sta perplex,' zei Willem. 'Hoe wist u dat we kwamen logeren?'

'Dat wist ik niet,' zei Gustaaf, 'maar als u hier komt om een partijtje te bespreken, hoeft u alleen maar de sleutel in de oogkas te gooien en aan de kinnebak te draaien. Dan verschijnt er een lijstje met mogelijkheden, zoals bijvoorbeeld: De bloedbruiloft, voor pasgetrouwde paartjes, De moord op de jarige, met een speciale versie voor kinderen, Een kuil graven voor een ander, een programma voor mensen die een hekel aan elkaar hebben, Een…'

'Nee, nee,' onderbrak Willem hem. 'We willen gewoon een paar dagen hier logeren.'

'Prima,' vervolgde de praatgrage Gustaaf, terwijl hij zich achter de balie begaf. 'Dan gaan we de kostuums uitzoeken. Want dat is verplicht. Iedereen moet in de sfeer blijven. Wat dacht u van het Monster van Frankenstein? Of een trol? Of anders de Verschrikkelijke Sneeuwman? King Kong misschien?'

99

'Heeft u ook iets met heksen?' vroeg Veertje.

'Helaas niet meer, jongedame. Gisteren heeft iemand alle pakken gehuurd voor een heksensessie. Is erg in tegenwoordig. Er komen hier twaalf dames om de sessie, die over twee dagen plaatsvindt, bij te wonen.'

Hij drukte op een knop en een beeldscherm rees voor hem omhoog.

'Eens kijken wat ik nog meer heb. Buitenaardse wezens in allerlei soorten en maten. Graaf Dracula is ook nog vrij. Daarvan neemt het masker de vorm van uw huid aan, aangezien het van een speciaal soort rubber is gemaakt. Uw mond blijft vrij om te eten, of beter gezegd te drinken… ha, ha.'

'Doet u dat dan maar,' zei Willem. 'Voor ons allebei.'

Gustaaf begon weer wat knoppen in te drukken. Af en toe richtte hij het apparaat op hen. 'Scant jullie maten op afstand,' verklaarde hij. Hij wierp weer een blik op het beeldscherm. 'Mooi zo, als u in uw kamer komt, liggen ze op u te wachten. Een geestige projectie leidt u erheen. Dan breng ik nu de hal weer in de oude staat en wens u een prettig verblijf.'

Het volgende ogenblik werd alles opnieuw donker en gingen de fakkels aan. De receptie en Gustaaf zakten in de vloer weg en de tafel met het zwarte kleed verscheen weer, terwijl de harnassen rinkelend hun plaatsen aan de muur innamen.

Er ging een deur open en een spookachtig doorschijnend iets maakte een uitnodigend gebaar hem te volgen.

Toen ze opstonden, zakten hun stoelen achter hen naar beneden, waarna ze de geestige projectie volgden die voor hen uit door de gangen zweefde.

'Dat moet Dra zijn,' fluisterde Veertje. 'Die heks daar aan dat tafeltje in die hoek.'
'Maar waar is Bulle dan?' fluisterde Willem terug.
Ze zaten in de eetzaal tussen allerlei monsters en andere spoken.
'Ik zie wel een zwarte kat, op die stoel naast haar.'
'Bulle is geen kat, Veertje.'
'Ja, maar hij wás er wel een, weet je nog. Een zwarte kater.'
'Dan heeft ze 'm misschien teruggetoverd. Hoewel dat niets voor mevrouw Dra is.'
Een hoofdloze ober kwam hun bestelling opnemen.
Veertje keek om zich heen. De meeste gasten aten iets van vlees.
'Prima,' zei ze tegen zichzelf.
Willem keek haar verbaasd aan.
'We nemen allebei een flinke portie vis, Willem.'
'Ik wou eigenlijk dat kippetje met spookachtig goeie saus.'
'Doe het nou maar. Dat kippetje kun je morgen nog eten. Ik leg het straks wel uit.' En zonder op Willems antwoord te wachten, bestelde ze twee porties zalm.

'Dat ruikt heerlijk,' zei Willem, nadat de ober hen een dampende visschotel had gebracht.

'Precies,' zei Veertje. 'Eet smakelijk.'

'Miauw,' klonk het terug. Maar dat was Willem niet. Op de lege stoel naast hen zat de zwarte kater.

'Luister Bulle, als je Bulle bent, mauw dan twee keer. Wij zijn Veertje en Willem en we komen je helpen,' fluisterde Veertje.

'Hoeft niet echt,' zei de kater. 'Dat mauwen bedoel ik. Maar ik vind het aardig dat jullie me achterna zijn gekomen. Mag ik een stukje vis?'

Snel keek Veertje om zich heen. Door het geroezemoes had niemand in de gaten dat de kater kon praten. En dan nog. Iedereen zou denken dat het erbij hoorde. Een projectie van Gustaaf of zo. Mevrouw Dra zat te ver weg om hun gesprek te kunnen volgen. Ze was trouwens druk in de weer met een grote kom soep. Willem legde een flink stuk vis op een schoteltje, waarna de kater gulzig begon te schrokken.

'Als 't aan die Dra ligt, verhonger ik gewoon. Dank jullie wel. Dit had ik echt nodig. O ja… ik heet nu Sergio.'

'Zij heeft 't boek hè, Sergio?' zei Veertje.

Sergio knikte. 'Dat is wel een beetje mijn schuld,' zei hij zacht.

Veertje legde nog een stuk zalm op zijn bord. 'Het geeft niet. Maar je zou ons wel een grote dienst kunnen bewijzen.'

'Alles wat jullie willen,' zei Sergio. 'En gaan we daarna weer terug naar het circus?'

'Eerst moeten we weten wat mevrouw Dra van plan is,' zei Willem. 'Morgen komt er namelijk nog een aantal dames waarvoor heksenpakken besteld zijn en daarna gaan ze met z'n allen in een zaaltje zitten vergaderen of zoiets. We moeten te weten komen wat ze van plan zijn, want je kunt ervan uit gaan dat dat niet veel goeds is.'

'Ik begrijp het al,' zei Sergio. 'Jullie komen er niet in, maar voor mij is het een koud kunstje. Dan vertel ik jullie later precies wat ik heb gehoord.'

Hij nam nog een paar flinke happen en ging zich uitgebreid zitten wassen.

'Wat dat betreft was ik als hond bepaald een viespeuk,' grinnikte hij.

De volgende dag hadden ze graag wat genoten van de mooie natuur rond Griezelstein. Maar dan moesten ze hun pakken uittrekken. En stel je voor dat ze mevrouw Dra dan onverwacht zouden tegenkomen. Nee, ze konden beter in het kasteel blijven.

'Laten we er maar het beste van maken,' zei Willem. En zo reden ze vele ritjes in de botsauto's in de knekelkelder, bezochten ze de vleermuisgrot (een 'must' voor Dracula's) en zaten ze uren in de virtuele hal Gustaafs Grote Griezelsteinse Computerspel te spelen. Daarin kon je je eigen draken, weerwolven, reuzen en wat je verder maar wilde, ontwerpen. Als je daarna een speciale helm opzette, speelde je met je figuren in allerlei huiveringwekkende avonturen mee.

'Ik tel er negen,' zei Veertje die avond in de eetzaal.

'Dat betekent dat er nog drie moeten komen.'

'Die komen vast wel,' antwoordde Willem. 'Morgenmiddag om twee uur is die sessie en dan weten we wat voor plannen ze hebben.'

'Als alles goed gaat,' zei Veertje.

'Natuurlijk gaat het goed,' zei Willem. 'Ik zie niet in wat er mis kan gaan.'

'Dit,' zei Sergio, 'dit ging er mis. Die twaalf, of beter gezegd dertien, zaten nog geen vijf minuten op hun stoelen of ik werd er al uitgeschopt. Eén van die heksen was allergisch voor kattenhaar en begon iedereen onder te proesten. Nou vraag ik je: een heks die allergisch voor kattenhaar is...'

Onder een grote treurwilg in de tuin van Griezelstein zaten een verongelijkt kijkende Sergio en een bezorgd kijkende Veertje en Willem.

'Kunnen wij niet op een andere manier naar binnen?' vroeg de laatste.

'Uitgesloten,' antwoordde Sergio. 'De zaal heeft geen ramen. En de enige toegangsdeur wordt bewaakt door een dubbelgespierde Frankenstein. Het spijt me dat ik niet meer voor jullie heb kunnen doen.' Hij sprong de boom in en ging op een dikke tak voor zich uit liggen staren.

105

Veertje en Willem keken elkaar aan. Was alles dan voor niets geweest?

'Laten we die apenpakkies maar uittrekken,' zei Willem.

'Die hebben nu geen zin meer.'

Langzaam sjokten ze terug naar hun kamer, de wegdoezelende Sergio op zijn treurtak achterlatend.

Ze pelden de maskers van hun gezicht en trokken de kostuums uit.

Toen werd er zacht aan de deur gekrabbeld.

'Zou Sergio toch nog iets te weten zijn gekomen?' vroeg Willem hoopvol.

Veertje was al bij de deur, maar nadat ze hem had geopend, deinsde ze geschrokken achteruit.

In de deuropening stond iemand in een donkere mantel met een grote, zwartgerande hoed op het hoofd.

'Mevrouw Dra!' riepen ze geschrokken uit.

Snel stapte de heks naar binnen met in haar kielzog niemand minder dan Sergio.

'Je hebt ons verraden,' riep Veertje verontwaardigd. 'Dat had ik nooit van je gedacht.'

'Doe de deur eens even dicht, dan kunnen we ongestoord praten,' klonk een bekende stem.

'Miss Saltorina,' riep Veertje.

'Precies,' lachte Miss Saltorina. Ze liet de zwarte mantel op de grond glijden en deed haar plastic haakneus, donkere bril en hoed af.

'U bent het echt?' stamelde Willem ongelovig.

'Jazeker. Maar ook weer niet helemaal.'

'Je hebt ons dus toch niet verraden, lieve kater van me,' lachte Veertje, terwijl ze Sergio over z'n kop aaide.

'Natuurlijk niet,' klonk het beledigd.

'Maar wat bedoelt u precies met *niet helemaal?*' vroeg Willem.

Miss Saltorina zuchtte.

'Het is niet makkelijk om te vertellen,' zei ze. 'Ik wist natuurlijk dat het er eens van moest komen, maar dat het op deze manier zou gaan, had ik niet gedacht.'

Ze ging op het bed zitten en keek Veertje aan.

'Kom eens hier, lieverd,' zei ze toen.

'Ik moet je iets vertellen, maar je moet niet schrikken. Ik bedoel, het is niet eng of zo, maar…' begon Miss Saltorina.

'We zitten in hotel Griezelstein, mam. Ik ben inmiddels wel wat gewend, hoor.'

'Dat bedoel ik ook niet. Het is…' Miss Saltorina hield midden in de zin op. 'Zei je mam?!'

Veertje knikte.

'Je weet… je wist…'

Opnieuw knikte Veertje en het volgende ogenblik lag ze in de armen van Miss Saltorina.

'Hier begrijp ik niets van,' mompelde Willem.

'Het is haar moeder, sufferd. Miss Saltorina is haar moeder,' siste Sergio.

'Haar moeder?!' Willem kon zijn verbazing nauwelijks onderdrukken.

'Ach,' zei Sergio, 'als een kat in een hond kan veranderen en omgekeerd, waarom zou Miss Saltorina dan niet Veertjes moeder kunnen zijn.'

'Maar daar komt toch geen toverkunst aan te pas?'

'Nee, Willem, dit is echt,' klonk Miss Saltorina vanaf het bed. 'Ik bén Veertjes moeder. Mijn echte naam is Eva van Spijkeren. Miss Saltorina is mijn artiestennaam. Net zoals directeur Tomba eigenlijk Jan Peul heet.'

'Ja, ja,' zei Willem, 'maar hoe…'

'Ik ben jullie en vooral Veertje een verklaring schuldig,' vervolgde Eva van Spijkeren. 'Maar eerst wil ik graag weten hoe jij wist wie ik ben, Veertje.'

'Nou gewoon... omdat je ook rood haar hebt,' lachte Veertje.

'Daar geloof ik niets van.'

'Dan zal ik het maar vertellen. Op een dag was ik naar je op zoek om wat te vragen over een sprong die we zouden gaan oefenen. De deur van je caravan stond open en toen heb ik even naar binnen gekeken. Maar je was er niet. Net toen ik weg wilde gaan, zag ik opeens een foto van mezelf tussen je make-upspullen staan. Dezelfde foto die de schoolfotograaf dit jaar gemaakt heeft en die bij ons thuis op papa's bureau staat. En ik vond je rijbewijs. Daar heb ik toen maar stiekem even in gegluurd.'

Bij dit laatste deel van haar verhaal werd Veertje een beetje rood.

'Daar hoef je je niet voor te schamen, hoor,' zei haar moeder, terwijl ze Veertje een zoen gaf. 'Zoiets zou ik ook hebben gedaan. Maar waarom ben je niet meteen naar me toe gekomen? Op het moment dat je het wist, bedoel ik.'

'Nou eh... ja,' stamelde Veertje. 'Ik weet 't niet. Ik moest er eerst over nadenken en de volgende dag gebeurde dat met Bulle, ik bedoel Sergio. Maar waarom heb jij... eh...'

'Het niet aan jou verteld?' vulde Eva van Spijkeren

aan. 'Weet je, eerst was ik bang dat het een te grote schok voor je zou zijn. En dat je dan niets meer met me te maken wilde hebben. Maar toen ik je beter leerde kennen, werd ik daar steeds minder bang voor. En nu…'

'… weten we allebei dat we het weten,' lachte Veertje.

'Je bent een bijzonder kind, Veertje,' zei haar moeder.

'En jij een bijzondere moeder.'

'Je weet nog niet half hoe bijzonder ik ben,' vervolgde Eva van Spijkeren. 'Luister Veertje, ik kom zojuist van een geheime heksenvergadering.'

Willem en Veertje schoten overeind en Sergio vergat te praten en miauwde angstig.

'U hoort toch niet bij hen?' bracht Willem er tot slot uit.

'Wij hebben op dezelfde hogeschool voor de magie gezeten,' zei Eva van Spijkeren. 'Dra heeft echter voor de zwarte magie gekozen, samen met die enge zussen van haar. Mijn heksenbloed was daar ongeschikt voor. Ik studeerde op de witte magie af. Nee… mevrouw Dra is niet bepaald een vriendin van me. Ik schrok dan ook behoorlijk, toen ik haar een paar dagen geleden tussen het publiek zag zitten. Nadat Tomba vertelde dat Bulle gestolen was en jullie hals over kop vertrokken waren, begon ik iets te vermoeden.'

Veertje kon haar oren niet geloven. Ze had wel een héél bijzondere moeder.

'Hoe kwam u daar binnen? Op die vergadering bedoel ik. Er waren maar twaalf heksen uitgenodigd,' vervolgde Willem, die nu het naadje van de kous wilde weten.

'Heks nummer twaalf ligt ergens heerlijk te slapen. Zo dadelijk breng ik haar deze spulletjes terug en zorg ik ervoor dat ze zich verder niets meer herinnert. Alleen dat ze tijdens de vergadering in slaap is gevallen. Dat durft ze natuurlijk nooit aan een van haar zusters op te biechten, laat staan aan mevrouw Dra.'

'Heel knap mam, maar wat hebben ze allemaal besproken?'

'Genoeg om ons ernstig zorgen te maken. Nu ze haar magische boek terug heeft, is mevrouw Dra tot alles in staat. Ook om een aloude heksenkunst weer onder de knie te krijgen.'

'Wat bedoel je?'

'Het vliegen op bezemstelen. Dat waren de meeste heksen verleerd in deze moderne tijd van telefoontjes, faxen, internet, vliegtuigen en al die andere dingen waarmee je afstanden kunt overbruggen.'

Opeens hief Eva van Spijkeren haar handen omhoog, terwijl ze langzaam ging staan. Haar gezicht vertrok tot een akelige grijns en even leek het of ze de stem van mevrouw Dra hoorden: 'Over een paar dagen strijken we neer in het Lommerbos. Jullie krijgen allemaal een eigen hut. Niemand van dat gehypnotiseerde stelletje notabelen zal ons in de weg staan. Daar heb ik een tijdje geleden al voor gezorgd. En dan gaan we de rest van die

Lommernaren te grazen nemen, zoals het echte heksen betaamt. Op onze bezems zijn we oppermachtig. Niemand kan ons ontkomen en wie dat toch probeert, kan als pad of oorwurm verder door het leven gaan. Zo zullen we langzamerhand de macht in het hele land overnemen.'

'Dat is verschrikkelijk,' riep Willem. 'We moeten de politie waarschuwen, of misschien wel het leger.'

'En ze vertellen dat een stelletje heksen op bezems ons gaat aanvallen? Ik denk dat ze je voor gek verklaren, beste Willem.'

'Wat moeten we dan doen, mam?'

'Ik wou dat ik het wist, Veertje.'

'Was Opa Wolf maar hier,' zuchtte Willem. 'Die weet altijd op alles raad.'

'Draagt hij een baseballpetje en rookt hij van die vieze stinkstokken?' vroeg Eva van Spijkeren.

'Ja,' zei Willem verbaasd. 'Kent u hem?'

'Hij treedt momenteel op in circus Tomba. Samen met het wolvenkoor.'

Willem keek zo verbouwereerd dat ze allemaal in de lach schoten.

'Dan moeten we terug naar het circus,' verklaarde hij uiteindelijk.

'Hoera,' juichte Veertje. 'Terug naar circus Tomba.'

'En ik ga met jullie mee,' zei Sergio. 'Dra heeft het nu toch te druk om zich met een weggelopen kater bezig te houden.'

Het idee van Opa Wolf

'En,' vroeg Willem, 'weet u iets?'

'Misschien,' zei Opa.

Hij keek naar Veertjes moeder. 'Kunt u ons óók laten vliegen, mevrouw? Op bezems bedoel ik.'

'Nee, dat soort toverkunst gaat mijn krachten te boven. Daar heb ik een bepaalde spreuk voor nodig en die ken ik niet precies.'

'Dan weet ik helaas even niets,' zei Opa Wolf.

'En als ík die spreuk misschien weet?'

Iedereen keek naar Veertje.

Ze zaten in de grote caravan van directeur Tomba, waar ze het weerzien uitgebreid gevierd hadden.

'Jij kunt ons laten vliegen?' vroeg Opa ongelovig.

'Ik denk het wel. Ik heb het Draboek namelijk in mijn hoofd zitten.'

'Hoe kan dat nou?' reageerde Willem. 'Hoe kan je nou zoiets in je hoofd hebben zitten?'

'Dat weet ik het ook niet,' antwoordde Veertje. 'Maar weet je, als ik iets lees, kan ik het na een tijdje nog zo voor me zien.'

'Zoiets heet een fotografisch geheugen,' zei Tomba die in zijn caravan natuurlijk gewoon Nederlands sprak. 'Sommige mensen hebben zo'n geheugen.'

'Maar ik weet helaas niet wat al die spreuken betekenen,' zei Veertje.

Eva van Spijkeren keek haar dochter ernstig aan: 'Kun je je nog iets herinneren dat met een V begint?'

'Die zit achteraan,' zei Veertje. 'Eens kijken: *valiera veddere papajo*. Is dat wat?'

Haar moeder knikte.

'Dat is een formule om papagaaien hun veren te laten verliezen.'

'*Vivosse isma ozap* dan misschien?'

'Daarmee kun je een vos in z'n eigen staart laten bijten.'

'*Volante bromo aira vida?*'

In een hoek van de kamer begon een stoffer onrustig op een blik te trillen.

'Dat zou het wel eens kunnen zijn.'

Directeur Tomba pakte stoffer en blik en zette die voor Veertjes moeder op tafel.

Iedereen keek ademloos toe, toen ze de spreuk verschillende keren uitsprak, nu eens met een hoge, dan weer met een lage stem. Ook legde ze de klemtoon steeds anders en haar vingers bewogen onophoudelijk.

Opeens gebeurde het ongelooflijke. De stoffer sprong omhoog, scheerde over hun hoofden en knalde met veel glasgerinkel door het raam van de caravan.

Eva van Spijkeren rende naar buiten, gevolgd door de anderen. Daar zagen ze dat de stoffer hoog boven hun hoofden rondjes aan het draaien was.

De stoffer met haar ogen strak volgend, herhaalde Veertjes moeder de formule. Langzaam begon de stoffer te dalen tot hij voor hun ogen even in de lucht bleef hangen, om daarna met een plofje op de grond te vallen.

'Ik moet natuurlijk nog flink oefenen op de juiste gebaren en de goede klemtoon,' zuchtte ze. 'Maar…'

'Maar…?' herhaalde iedereen.

'Maar ik denk wel dat het zal lukken om een stuk of wat bezems de lucht in te krijgen,' verbrak ze de spanning.

'Valt dertien onder een stuk of wat?' vroeg Opa.

'Ik denk het wel.'

'Mooi,' zei Opa. 'Dan is dit mijn plan. We pakken die heksen met hun eigen middelen aan en dagen ze uit tot een luchtgevecht. De verliezer verlaat het Lommerbos

en laat zich er nooit meer zien. We moeten natuurlijk nog wel wat oefenen, maar daarna zijn we onoverwinnelijk. Weet u trouwens ook iets tegen luchtziekte en hoogtevrees?'

'Daar heb ik m'n eigen formules voor,' antwoordde Eva van Spijkeren. 'Voor ik acrobate werd, durfde ik nog niet op een keukentrapje te staan.'

'Jullie kunnen wat mij betreft de tent als oefenruimte gebruiken,' deed Tomba een duit in het zakje. Daar zitten in ieder geval geen ramen in en over twee dagen is de tournee afgelopen en gaat iedereen met vakantie. Ik kan de tent dan nog wel een dag of tien laten staan.'

'Dat moet genoeg zijn,' zei Opa. 'Kom, ik ga eens met de andere wolven praten.'

'Ik loop even met u mee,' zei Sergio, die tot nu toe gezwegen had.

Directeur Tomba keek stomverbaasd naar hem.

'Ik denk dat ik u even een paar dingen moet uitleggen,' zei Veertje toen ze zijn blik zag.

De andere wolven wilden graag meedoen. Eigenlijk verlangden ze al een tijd naar hun eenvoudige hutjes terug.

Nadat Sergio het verhaal van de wolvenklauwtjes had opgebiecht, klonken kreten als:

'De bezem erover.'

'Die heksen eruit.'

117

'Hi, ha, wolvenvel, iedere heks een flinke lel!'

'Het is wel een beetje hoog, hè?' merkte Hella Wolf voorzichtig op, toen ze waren uitgejoeld. 'Stel dat we van de bezems vallen.'

Het werd opeens akelig stil.

'Dat is natuurlijk mogelijk,' zei Opa Wolf, 'Daarom gaan we oefenen met een net.'

'Maar eh, als we straks boven Lommer vliegen...' vroeg Pelle Wolf.

'Wordt aan gewerkt,' zei Opa. 'Laat maar aan mij over.' Het was Eva van Spijkeren gelukt dertien echte twijgenbezems te bemachtigen. Tot haar grote opluchting reageerden die veel beter op de bezweringen. Helaas bleven ze niet langer dan een half uur in de lucht. Dan vielen ze naar beneden en moesten opnieuw worden toegesproken.

'Net batterijen die je moet opladen,' zei Veertje.

'Dat komt doordat ik geen echt heksenbloed in mijn aderen heb,' verklaarde haar moeder. 'Bij zwarte heksen stroomt het namelijk precies de andere kant op dan bij witte.'

'Dan heb jij omgekeerd heksenbloed,' stelde Veertje vast.

'Zoiets denk ik, ja.'

'Heb ik dat ook, mam?'

'Dat weet ik niet. Dat merk je vanzelf als het zover is.'

'Als wat zover is?'

Haar moeder lachte geheimzinnig.

118

'Gewoon afwachten, Elvira van Spijkeren,' was het enige wat ze zei.

De eerste dag oefenden de wolven in de piste op een evenwichtsbalk, waarbij ze elkaar met kussens om de oren mochten slaan. De daaropvolgende dagen kwamen ze aan het echte werk toe.

'Je moet je lichaamsgewicht verplaatsen als je een bocht wilt nemen. Naar achteren of naar voren leunen om hoger of lager te gaan vliegen,' zei Eva van Spijkeren, die samen met Opa de training op zich had genomen.

Dat was makkelijker gezegd dan gedaan. Bij bosjes vielen de wolven in het net, dat dan ook goede diensten bewees.

Maar omdat ze wisten dat het om een serieuze zaak ging, oefenden ze net zo lang tot ze het onder de knie hadden.

Daarna kwamen de salto's en loopings aan de beurt en tot slot mochten ze met een kleinere takkenbezem elkaar uit 'het zadel' proberen te zwiepen. Dat viel nog niet mee, want als je niet oppaste, tuimelde je je eigen zwiep achterna.

Uiteindelijk kreeg iedereen ook dat kunstje onder de knie.

Al die tijd had kleine Timo verlangend naar boven staan kijken. Wat zou hij graag als een echte luchtridder aan het komende toernooi meedoen.

'Dit is niets voor kinderen,' vonden de overige wolven. Maar daar liet Timo zich niet door afschrikken. 's Avonds als de grote tent leeg was, zocht hij naar bezems die nog niet helemaal waren 'leeggevlogen'. En dan oefende hij alles wat hij overdag had gezien. Maar hij paste er wel voor op, dit aan iemand te vertellen.

In de gele jeep reden Willem en Opa richting Lommer. Ze hadden overnacht in hotel De Gouden Trog, dat Willem nog goed kende.

'Je weet toch wat je zeggen moet, Willem?' vroeg Opa voor de zoveelste maal.

'Ja hoor,' antwoordde Willem. 'Het zit allemaal in mijn hoofd.'

'Mooi, vergeet vooral de hekseneed niet.'

'Ik zal eraan denken.'

Ze hadden afgesproken dat Opa naar de burgemeester zou gaan. Het gevaar was namelijk groot dat die meteen alarm zou slaan als hij Willem zag, vanwege de hypnose waarmee mevrouw Dra destijds de zaal in haar ban had gekregen.

Willem zou mevrouw Dra een bezoekje brengen. 'Dan zie ik meteen hoe mijn huisje erbij staat,' had hij gezegd.

De werkkamer van de burgemeester lag op de bovenste verdieping van het gemeentehuis.

'Mooi uitzicht,' zei Opa beleefd, nadat hij zich had voorgesteld.

'Ach,' zei de burgemeester. 'Daar raak je aan gewend, hè.' Hij snoot uitvoerig zijn neus. 'Vervelende verkoudheid. Wat kan ik voor u doen?'

Opa besloot met de deur in huis te vallen: 'Zegt de naam Willem Wolf u iets?'

Er verscheen een kwaadaardige uitdrukking op het gezicht van de burgemeester.

'Op-slui-ten,' mompelde hij. 'Hij moet worden op-ge-slo-ten. Op-ge-slo-ten, op-ge-slo-ten, hij moet worden op-ge-slo-ten…'

'Ik hoor het al,' zei Opa. 'En mevrouw Dra, kent u die ook?'

Nu kreeg de burgemeester een hemelse blik in zijn ogen.

'Een weldoenster voor ons dorp,' riep hij uit. 'Ik

heb deze lieve dame het huisje van die afschuwelijke Willem gegeven. Komt u trouwens ook niet uit die buurt? Nou ja, doet er niet toe. Er wonen nu een paar bijzonder aardige dametjes.'

'Aardige dametjes?'

'Hatsjoe!' nieste de burgemeester. 'Neemt u mij niet kwalijk. Bijzonder aardige dametjes, ja. Familie van mevrouw Dra, dus dat zit wel goed. Wist u trouwens dat mevrouw Dra onlangs nog een vakantie voor de commissaris en mijzelf heeft geregeld. Zomaar, gratis en voor niets. En in die tussentijd neemt zij onze taken waar. Dan hoeven wij ons daarover geen zorgen te maken. U begrijpt, deze dame verdient een standbeeld. Daar ben ik trouwens druk mee bezig. Eens kijken, waar heb ik het ontwerp liggen?'

'Het is nog erger dan ik dacht,' mompelde Opa. Hij haalde een klein flesje met een pipetje uit een zak van zijn jas en zette het op het bureau.

'Wat is dat?' vroeg de burgemeester korzelig. 'Wilt u mij dat soms verkopen? Ik dacht dat u iets belangrijks met mij wilde bespreken?'

'Ja eh… dat flesje,' begon Opa, die begreep dat hij nu aan een leugentje om bestwil toe was, 'daar zit een heel apart middeltje in. Iets dat mevrouw Dra heeft uitgevonden. Eén druppeltje in een glas water en je bent van je verkoudheid genezen. Omdat ze wist dat ik deze kant op ging, gaf ze het voor u mee. Heeft u misschien een glaasje water?'

Zodra de naam Dra viel, werd de burgemeester een en al gedienstigheid.

'Natuurlijk,' riep hij. 'Ik haal het onmiddellijk.' Even later zette hij een glas water voor Opa neer.

'Mooi,' zei deze en liet er een druppeltje in vallen. 'Ga uw gang.'

'Op onze weldoenster,' sprak de burgemeester, terwijl hij een flinke slok nam.

Het bleef even stil. Gespannen wachtte Opa op de uitwerking van het middeltje dat Veertjes moeder had gebrouwen.

Het duurde niet lang of de burgemeester zakte onderuit in zijn stoel en sloot zijn ogen. Enkele ogenblikken later deed hij ze weer open en staarde hij Opa verbaasd aan.

'Wie bent u en wat doet u hier?' stamelde hij.

De burgemeester kon het haast niet geloven.

'Toch is het zo,' zei Opa. 'Kijk maar naar die tickets die op uw bureau liggen voor een enkele reis Honolulu. Daar… naast die schets voor het standbeeld van mevrouw Dra. En als u nog even verder zoekt, vindt u vast de papieren die u heeft getekend om die heksen in onze huizen te laten wonen.'

'Ik schaam mij diep,' zuchtte de burgemeester. 'En al die tijd…'

'Precies,' knikte Opa.

De burgemeester ging voor het raam staan.

Boven de huizen, straten en pleinen vlogen zwarte figuren op bezemstelen rond. Hun afschuwelijke gekrijs vermengde zich met angstige kreten van Lommernaren die zich op straat hadden gewaagd. Plotseling dook er één voor het raam langs als een havik in een duikvlucht. *Roets*, daar had ze de handtas te pakken van een oud vrouwtje, dat voorzichtig langs de huizen schuifelde. Met een triomfantelijke kreet schoot de heks weer omhoog. Het volgende ogenblik was ze verdwenen.

'Dat was een van die aardige dametjes, geloof ik,' zei Opa.

'Vreselijk,' stamelde de burgemeester. 'En ik dacht dat het wat groot uitgevallen kraaien waren. Dat kwam natuurlijk door die hypnose waar u het over had. Wat moet ik nou toch doen?'

'Dat zal ik u zeggen. Vertrouwt u mij?'

De burgemeester knikte.

Toen ontvouwde Opa zijn plan.

'Het is wel een risico,' zei de burgemeester nadat hij alles had gehoord, 'maar ik denk dat we geen andere keus hebben.'

'Mooi,' zei Opa en hij zette nog wat flesjes op het bureau. 'Dan weet u wat u te doen staat.'

'Ze vliegen best goed, dat heksengespuis,' mompelde Opa, terwijl hij het bordes van het gemeentehuis afdaalde. 'Maar dat is het laatste wat ik de anderen zal vertellen.'

Vreemd, dacht Willem, aanbellen bij je eigen huis.

Maar het was niet nodig, want mevrouw Dra had hem al zien aankomen. Breed grijnzend posteerde ze zich in de deuropening. Behalve de plastic haakneus leek ze sprekend op een Griezelsteinse heks.

'Zo, zo, zo, mijnheer Willem Wolf. Kijk eens aan. Nog altijd op vrije voeten zie ik. Wat komt u hier doen? De nieuwe huiseigenaar een bosje bloemen brengen?'

'Ik kom u uitdagen,' zei Willem eenvoudig.

'Mij uitdagen?! Weet wat je zegt, Willem Wolf. Mijn macht is gegroeid nu ik de dertiende heks ben. We spelen geen Roodkapje meer. Om van die vossenjacht nog maar te zwijgen.'

'Ik dacht al dat u daarachter zat,' zei Willem, die zich het schot hagel nog goed kon herinneren.

'Dus…?'

'Dus denk ik dat u de uitdaging wel zult aannemen. Tenzij u hier een beetje staat te bluffen.'

Mevrouw Dra verschoot van kleur. Hoe durfde die wolf. Maar ze was te nieuwsgierig geworden om hem ter plekke in een kale regenwurm te veranderen.

'Vertel op,' siste ze. 'Maar houd het kort. Anders maak je het zelf niet lang meer.'

'Over vijf dagen, op vrijdag de dertiende,' ging Willem onverstoorbaar verder, 'dagen de wolven jullie uit een luchtgevecht met hen te houden boven het veld van de voetbalclub Lommer Vooruit. Om twaalf uur 's middags. Wie het langst op z'n bezem blijft zitten, wint.'

'Kunnen jullie dan vliegen?'

'En hoe,' zei Willem. 'Maak uw borst maar nat.'

Mevrouw Dra barstte in een akelige schaterlach uit: 'Ik dacht even dat je het serieus meende,' hikte ze.

Willem liet zich niet van de wijs brengen. 'Onze vrienden van circus Tomba zullen een paar grote netten boven het veld spannen,' zei hij, een papier uit zijn zak halend. 'Dit zijn de spelregels.'

'Spelregels hè,' siste mevrouw Dra. 'Zo, zo, jullie

menen het dus echt. Maar waar spelen we eigenlijk om?'

'Als jullie winnen, mogen jullie hier blijven wonen,' antwoordde Willem, terwijl hij iets wegslikte. 'Dan zul je ons nooit meer terugzien.'

'En in het onvoorstelbare geval dat jullie winnen?'

'Dan maken jullie dat je wegkomt,' zei Willem. 'U belooft hier nooit meer uw neus te laten zien en het Draboek nooit meer aan te raken.'

'Mijn magische boek dat jullie onlangs van me gestolen hebben? Dat mag ik dus met niet één vinger meer aanraken?'

'Precies.'

Even dacht mevrouw Dra na.

'Ik neem de uitdaging aan,' antwoordde ze.

'Maar eerst de hekseneed zweren, dat jullie je aan de regels zullen houden.'

Het leek erop dat mevrouw Dra opnieuw kwaad zou worden, maar ze beheerste zich wonderbaarlijk.

'Ik begrijp niet dat zo'n aardig dametje als ik niet vertrouwd wordt,' gromde ze.

'Ik wel,' zei Willem, 'maar als u de uitdaging niet durft aan te nemen…'

Mevrouw Dra draaide haar vingers in een heksenknoop en kruiste haar armen voor haar borst: 'Bij deze zweer ik in naam van de heilige hekseneed, dat we ons aan alle regels zullen houden. Zo goed?'

'Prima,' zei Willem. 'Nu nog het boek.'

'En dat ik het zogenaamde Draboek met geen vinger meer zal aanraken als we onverhoopt verliezen,' knarsetandde mevrouw Dra. 'Mooi,' zei Willem. Hij draaide zich om en liep zonder verder nog iets te zeggen het tuinpad af.

'Ik hoop dat Opa Wolf weet waaraan hij begint,' mompelde hij en startte de jeep.

De volgende dag was de dag van de grote wedstrijd. De wolven hadden hun bus van een nieuwe tekst voorzien. HET HUILENDE WOLVENKOOR was vervangen door DE LUCHTRIDDERS, een idee van kleine Timo, waar iedereen het mee eens was.

Directeur Tomba was al een dag eerder met wat circusknechten vertrokken. Het was namelijk nog een hele klus om het grote vangnet en enige reservenetten boven het voetbalveld te spannen.

'Niets vergeten?' vroeg Opa, terwijl hij de motor startte.

'Nee,' riepen de wolven in koor, 'of het moeten de bezems zijn.'

Verschrikt zette Opa de motor af.

'Grapje!' klonk het door de bus.

'Mooi,' zei Opa. 'De stemming zit er in ieder geval goed in.'

Hij startte opnieuw en reed voorzichtig het circusterrein af.

Na een overnachting in een hotel was het nog maar een klein stukje rijden.

Veertje keek door het raam van de bus. De huizen en weilanden konden haar niet echt boeien. Dat kwam doordat er een vraag op haar lippen brandde. Hoe dichter ze bij Lommer kwamen, hoe meer die vraag brandde.

'Mam…'

'Ja?'

'Als je papa straks ziet, hè… ik bedoel, jullie zijn toch uit elkaar… jij bent toch weggegaan?!'

Veertjes moeder glimlachte: 'Ik ben nog steeds stapelgek op papa,' zei ze. 'En hij op mij. Iedere week mailen we elkaar en dan vertelt hij me alles. Vooral over jou.'

'Echt waar?'

'Echt waar.'

'Maar waarom ben je dan niet…?'

Even was het stil. Toen vroeg haar moeder: 'Wat zou jij het liefste in je leven willen doen, Veertje?'

Daar hoefde Veertje niet lang over na te denken: 'Door de lucht zweven, net als jij. Dat geeft zo'n heerlijk vrij gevoel.'

'Precies. En daarom hield ik het in Lommer niet uit.

Het leek net of ik in een kooitje zat. Ik wilde vrij zijn en precies doen wat ik zelf wilde. Misschien kwam het ook doordat, eh…'

'Papa wat saai is?' vroeg Veertje.

'Misschien wel,' lachte Eva van Spijkeren, 'maar ik wou zeggen, doordat ik een beetje van dat omgekeerde heksenbloed in mijn aderen heb.'

Veertje knikte.

Opeens moest ze aan iets denken: 'Je hebt het toch nooit gebruikt voor je salto's en zo?'

'Nee, dat doe ik allemaal zelf.'

'Hè gelukkig,' zuchtte haar dochter. 'Weet je mam, ik ben hartstikke trots op jou.'

'En ik op jou, lieverd.'

'Heb je papa verteld dat ik bij jou ben?'

'Ik heb het wel geprobeerd. Maar ik kreeg geen mailtje terug. Dat is me nog nooit gebeurd. Maar toen jij vertelde over die hypnose, begreep ik het.'

'Vandaag is een belangrijke dag, hè?'

'Een heel belangrijke,' zei haar moeder. En voor het eerst meende Veertje iets van bezorgdheid in haar stem te horen.

Het luchtgevecht

De burgemeester, de commissaris en Van Spijkeren zaten met een groot aantal Lommernaren op de tribune van Lommer Vooruit. Boven het veld waren, aan hoge palen, vangnetten gespannen. En daarboven waren dertien heksen zich alvast aan het invliegen. Iedere keer als er één een kunststukje uithaalde, steeg een beleefd applaus op. Dat was om te zorgen dat de heksen geen argwaan zouden krijgen. Voorlopig hoefden die niet te weten dat de druppeltjes van Veertjes moeder hun werk goed hadden gedaan.

Van de wolven was echter nog geen spoor te bekennen.

'Zouden ze het toch niet aangedurfd hebben,' opperde de commissaris.

'Dan hebben ze bij voorbaat verloren,' zuchtte de burgemeester.

'Regel drie van de spelregels, onder b,' meldde Van Spijkeren.

Ook de heksen begonnen het idee te krijgen dat ze al gewonnen hadden. Een paar gingen zelfs uitdagend in het net liggen en deden of ze sliepen.

Maar een luid getoeter hielp hen uit de droom.

De mensen moesten hun best doen niet te juichen toen de bus van De Luchtridders het veld opdraaide.

Een voor een stapten de wolven uit en stelden zich met hun bezems aan de overzijde van het veld op.

'Daar is Veertje!' riep Van Spijkeren. 'En Eva…! Wat doet die hier?' Hij maakte aanstalten naar ze toe te gaan, maar de commissaris greep hem bij zijn jasje, terwijl hij siste: 'Niet opvallen!'

Willem stapte als een van de laatsten uit.

'Hij moet worden op-ge-slo-ten, op-ge-slo-ten, op-ge-slo-ten,' begon de tribune zacht te scanderen. Want ook dat hadden de Lommernaren afgesproken.

'Nu even niet, stelletje sufferds,' riep Dra geërgerd, terwijl ze voor de tribune langs vloog. 'Straks mogen jullie die mislukte piloten allemaal opsluiten, maar eerst zullen wíj ze een lesje leren.'

Vervolgens waren de wolven aan de beurt om zich in te vliegen. Iedereen keek ademloos toe hoe ze op hun bezems het luchtruim kozen. Niemand had diep in zijn hart geloofd dat zoiets zou kunnen en die harten begonnen nu sneller te kloppen. Zou er dan toch een kans zijn van die afschuwelijke toverkollen af te komen?

Toen ook de wolven hun warming-up hadden beëindigd, stelden beide groepen zich aan weerszijden van het veld op.

'Veel succes,' zei Opa, langs zijn luchtridders lopend. 'Ik weet dat jullie het kunnen.'

'Stel me niet teleur, jullie!' schreeuwde mevrouw Dra tegen haar zussen. 'Anders zullen jullie wat beleven. Achter mij aan en neem ze te grazen.'

Voor de toeschouwers ontwikkelde zich nu een adembenemend schouwspel. Zoiets waarvan je weet dat je het maar een keer in je leven zult meemaken.

Zowel de heksen als de wolven hadden kleine takkenbezems waarmee ze elkaar van de grote bezems mochten slaan. Verder was iedereen vrij om te doen en te laten wat hij of zij wilde.

De zesentwintig spelers draaiden voorzichtig om elkaar heen. Af en toe deed iemand een schijnaanval om op het laatste moment uit te wijken. Natuurlijk moest je vooral oppassen niet van achteren te worden verrast. Als de wolven zagen dat dat dreigde te gebeuren, klonk de kreet: 'Heks op zes uur!'

Dat had Opa ze geleerd.

Op een gegeven moment was het Pelle en Borre Wolf gelukt een van de heksen in te sluiten. Terwijl het lelijke wijf naar Pelle uithaalde, gaf Borre haar zo'n zwiep, dat de heks in het vangnet tuimelde en haar bezem met een zielig boogje naast het net terecht kwam.

Als één man sprongen de Lommernaren van hun banken en barstten in luid gejuich uit.

Dat verraste de heksen, die dachten iedereen in hun macht te hebben. Even waren ze van slag, waar de wolven onmiddellijk van profiteerden, zodat er wel drie toverkollen tegelijk van hun bezems gemept werden.

Zoiets konden de heksen niet op zich laten zitten. Joelend en krijsend openden ze de jacht met als gevolg dat een viertal wolven een vrije val richting vangnet maakte.

De Luchtridders groepeerden zich nu aan de ene zijde boven het veld, terwijl de heksen aan de andere zijde klaar hingen om aan te vallen.

Daar stormden de heksen en de wolven vooruit. Maar in plaats van de grote klap die iedereen verwachtte, pasten de wolven een list toe. Een deel van hen dook op het laatste ogenblik onder de heksen door, terwijl de rest over hun hoofden scheerde.

De 'dames' hielden verbaasd hun bezems in. De wolven draaiden zich bliksemsnel om en voordat ze wisten wat er gebeurde, verdwenen twee heksen uit het luchtruim, wat natuurlijk tot grote vreugde op de grond leidde.

Opa danste in het rond en ramde Willem op zijn schouders.

'Nog even jongen en we hebben ze.'

Willem was daar echter niet zo zeker van. Daarvoor kende hij mevrouw Dra inmiddels te goed.

Die barstte bijna uit haar vel van nijd. Met de meest gruwelijke bedreigingen zweepte ze haar zes over-gebleven zussen nog eens extra op. Die probeerden hun tegenstanders in het nauw te drijven. Daar de wolven echter in de meerderheid waren, maakten de heksen niet veel kans. Helaas botsten Harro en Pelle Wolf door een misverstand op elkaar, zodat de aantal-len weer in evenwicht kwamen.

'Cirkelen, denk om je rechterflank, naar beneden daar vooraan!' schreeuwde Opa. 'En vergeet je dekking niet!' Maar de wolven konden hem in de hitte van de strijd niet horen.

Veertje keek bezorgd naar haar moeder. Die kon echter niet veel meer doen dan hopen dat de trucjes, die ze de wolven had geleerd, zouden werken.

Wham, daar werd Sempe Wolf van zijn bezem geslagen door een ellendige zwartrok. Omdat deze in haar vreugde vergat om te kijken, kreeg ze van Wilbur Wolf zo'n lel dat ze nog eerder dan Sempe in het net belandde.

'Heks op drie uur,' riep Stella Wolf tegen haar vriendin Hella. Die keek jammer genoeg in de verwarring naar links, waardoor zíj het volgende ogenblik door de lucht tuimelde.

'Ik zal je krijgen, kreng,' siste Stella. Maar het kreng had inmiddels versterking gekregen, zodat Stella, ondanks alle kunststukjes die ze uithaalde, het uiteindelijk ook moest opgeven.

Er waren nu nog vier wolven en zes heksen in de lucht.

Dat gaf de spelers wat ruimte, zodat ze elkaar makkelijker konden mijden. Toch lukte het mevrouw Dra hoogstpersoonlijk een wolf uit te schakelen. 'Nog vijf minuten,' hoorde Veertje haar moeder zenuwachtig zeggen. 'Ze hebben nog maar vijf minuten over voor de bezems ermee ophouden.'

Gelukkig waren de neven Homme en Hidde er nog. Alle zeilen bijzettend, openden ze de jacht op de overgebleven heksen, waarvan ze er twee wisten neer te halen. Op de grond hield men zijn adem in. Nu zou het erom spannen.

Daar haalde Hidde na een fraaie looping uit. Jammer genoeg kon de toverkol net op tijd bukken en giechelend wegvliegen, precies tegen de bezem van... Homme. Meteen schoot Hidde te hulp en na een flinke klap viel het akelige mens met een kreet naar beneden.

'Nog drie jongens, nog drie!' riep Opa. 'Kom op!'

De heksen begrepen dat de twee neven een gevaar vormden en gingen in de aanval. Homme trok helaas iets te laat zijn hoofd in en moest een flinke dreun incasseren. Hij vloog door naar een hoek boven het veld, terwijl de overgebleven twee wolven de heksen afleidden door met hoge snelheid voor hen langs te kruisen. Een korte draai... en Homme was weer terug. Nog kwaad door de dreun tegen zijn hoofd gaf hij de eerste de beste heks die hij tegenkwam zo'n enorme klap, dat ze haar bezem onder zich weg zag schieten. Er waren nu nog twee heksen en drie wolven over.

Een van de wolven, die Herman heette, landde naast Opa op het gras.

'Vuiltje in mijn oog,' hijgde hij. 'Vlug!'

Eva van Spijkeren probeerde de ongelukkige Herman zo goed en zo kwaad als dat ging te helpen.

136

Ondertussen kwam er weer een heks naar beneden, even later gevolgd door Homme Wolf.

Nu waren alleen mevrouw Dra en Hidde nog in de lucht. Hidde bedacht dat hij, als hij Dra van haar bezem zou slaan, de held van de dag zou zijn. Helaas dacht hij daar net iets te lang over na, waardoor hij een slag van mevrouw Dra niet meer kon ontwijken. Iedereen hield de adem in. Nu kon mevrouw Dra de overwinning opeisen.

Op dat moment gebeurde er iets onverwachts.

Nog voordat Hidde in het net terecht kwam, had kleine Timo de bezem van Herman weggegrist en schoot hij razendsnel de lucht in.

Zou die kleine wolf iets tegen de machtige mevrouw Dra kunnen uitrichten? Deze lachte dan ook vals toen ze Timo op zich af zag komen. Die broekenman zou ze voor eens en altijd zijn plaats wijzen. Ze had echter niet op de jeugdige overmoed van kleine Timo gerekend. *Swoesj,* daar maakte hij een salto, gevolgd door een looping, waar de haren van de toeschouwers recht van overeind gingen staan.

'Waar zit je, klein kreng,' krijste Dra, die hem volledig uit het oog was verloren.

'Hier,' riep Timo, bij haar hoofd opduikend. 'Nee hier… en nu weer hier.'

Als een plagerige muskiet dook hij op de meest onverwachte plekken op.

'Blijf nou eens even staan,' hijgde Dra.

'Staan?'

'Hangen bedoel ik.'

'Goed,' antwoordde Timo. 'Als je dat zo graag wilt.'
Hij vloog een stukje bij haar vandaan, stopte, draaide zich om en liet de bezem doodstil in de lucht hangen.

'Mooi zo, hij trapt erin,' gromde Dra. 'Ik maak zoveel vaart dat ik hem met één klap dwars over de Lommerse kerktoren laat vliegen!'

'Nog een minuut,' klonk Eva van Spijkeren vertwijfeld. 'Oh, alsjeblieft, Timo.'

Daar zette Dra de aanval in. Zo snel ze kon vloog ze op haar kleine kwelgeest af en sloeg… in het niets.
Door de kracht van die slag viel ze van haar bezem en in haar val schoot ze langs kleine Timo, die als een acrobaat met twee handen aan zijn bezemsteel hing.

'Leuk trucje, hè,' was het laatste wat ze hoorde. 'Heb ik mezelf geleerd.'

Een oorverdovend lawaai brak los toen Dra in het net tuimelde. Men klapte, schreeuwde, stampte en jubelde. Dit was het moment waarop iedereen gehoopt had.

'Timo, Timo, Timo!' juichten de wolven en even later werd het door de hele tribune overgenomen.

De bezem wilde blijkbaar ook in de overwinning delen, want hij hield het nog even vol. Timo kon daardoor een ererondje boven het veld maken, voor hij veilig voor de voeten van Opa Wolf landde. Die kreeg echter geen kans de jonge luchtridder uitgebreid

te feliciteren, want Timo werd onmiddellijk door de andere wolven op de schouders genomen voor een tweede ereronde, ditmaal over het groene gras.

Van Spijkeren sloot Veertje en Eva in zijn armen en de burgemeester maakte zich op om een toespraak te houden.

Plotseling klonk er echter een snerpende stem boven alles uit.

'Luister allemaal…'

Midden op het voetbalveld stond mevrouw Dra tussen haar zussen. Een van hen hield het Draboek opengeslagen voor haar op.

Er viel een doodse stilte.

'Dat klinkt beter,' snauwde mevrouw Dra. 'Veel beter. En nu zullen we eens zien wie hier echt de baas is.'

Terwijl iedereen zijn adem inhield, liep Willem onverschrokken op mevrouw Dra af.

'U heeft, toen u de hekseneed aflegde, verklaard dat boek met geen vinger meer aan te raken,' zei hij.

'Doe ik toch ook niet, beste jongen,' antwoordde ze. 'Mijn brave zuster Dro houdt het keurig vast, zodat ik al die spannende lettertjes kan lezen. Eerlijk gezegd dacht ik niet dat dat onder de eed viel.'

Even leek het of Willem het boek wilde grijpen. Hij deinsde echter terug toen mevrouw Dra haar handen hief en er knetterende, blauwe vlammetjes aan de uiteinden van haar vingertoppen verschenen.

'Staan blijven, beste Willem. Anders zou je wel eens als een kale regenworm tussen de grassprieten kunnen eindigen,' beet ze hem toe en het was aan alles te merken dat ze het meende.

'Zo, en nu wordt het tijd iedereen voor eens en voor altijd zover mogelijk hier vandaan te sturen. Tot nu toe heb ik alleen maar last van jullie gehad, stelletje ondankbaren. Gelukkig is de wereld groot genoeg.'

'*Mercarim, atlantimo, bergam…*' klonk het luid.

140

'Bladzij zestig,' fluisterde Veertje. 'Wat een geluk.'

Haar moeder keek haar niet begrijpend aan.

'Wacht maar af,' leken de ogen van haar dochter te zeggen.

'*Manesim, tinamam, wissem…*'

Plop, daar verdween een van de heksen die op het veld stonden. *Plop, plop, plop, plop,* daar losten er nog vier in het niets op.

De ogen van mevrouw Dra puilden uit hun kassen.

Ook de overige heksen 'verplopten,' met als laatste zusje Dro, waardoor het boek op de grond dreigde te vallen. Dra schoot toe om het te grijpen. Tegelijkertijd besefte ze haar fout.

In enkele seconden groeide het boek tot het even groot was als mevrouw Dra. Het opende zich als een muil om in één klap de heks te verorberen. Doch voordat dat gebeurde, was ook mevrouw Dra met een laatste *plop* verdwenen.

Het boek klapte met een oorverdovende knal dicht, vatte vlam, waarna er niets anders van overbleef dan een hoopje as.

Het duurde even voor iedereen begrepen had dat het gevaar nu echt geweken was. Toen brak opnieuw een oorverdovend gejuich los. Eva van Spijkeren, Willem en Veertje vielen elkaar om de hals en maakten een rondedansje.

'Wat is er nou eigenlijk gebeurd?' vroeg Veertjes vader, toen ze uitgehost waren.

141

'Dat zou ik ook wel eens willen weten, Veertje,' zei haar moeder. 'Wat bedoelde je met: bladzij zestig, wat een geluk?'

'Ik was pas tot bladzij tweeënzeventig gekomen,' zei Veertje. 'Ongeveer tot de letter p. Daarom kon mevrouw Dra de vliegspreuk nog wel gebruiken. Die begon met een v, weet je nog? Nou, die verdwijnspreuk stond dus daarvoor en álles wat daarvoor stond, heb ik zo'n beetje veranderd.'

'Veranderd?'

'Ja. Herinner jij je nog Willem, dat we bij circus Tomba waren en ik je vroeg om een kroontjespen en inkt?'

Willem knikte. 'Ik dacht dat je het Draboek over ging schrijven.'

'Dat hoefde niet. Het zat gewoon in mijn hoofd. Nee, ik ben het gaan veranderen, maar zo dat je het niet kon zien. Van de i's maakte ik j's, van de n een m en van de c een d, enzovoort, enzovoort. Er klopte niets meer van. En toen mevrouw Dra ons allemaal weg wilde ploppen, plopte ze zichzelf, samen met haar zussen naar de andere kant van de wereld.'

'Dus eigenlijk heb jij ons gered,' zei Willem. 'Je bent een slimmerd.'

'Maar ik moet er niet aan denken wat er gebeurd zou zijn, als je één streepje te veel of te weinig aan de letters had gezet,' zei haar moeder.

'Daar heb ik toch heksenbloed voor,' lachte Veertje.

'Van de goede soort natuurlijk,' voegde ze er snel aan toe.

De burgemeester stond inmiddels op de middenstip van het voetbalveld.
Hij hield een mooie toespraak waarin hij vooral de wolven bedankte.
'En dat terwijl we jullie nog wel vals hebben beschuldigd,' besloot hij.
'Zand erover, burgemeester,' riep Opa Wolf. 'Vergissen is menselijk. Wat dacht je van een feestje?'
'Top,' zei de burgemeester. 'Jullie zijn de eregasten.'
En zo beleefde Lommer een feest dat wel drie dagen en nachten duurde en waar men nog jaren later over sprak.

Circuskaartjes

1 *kip*
1 *pond sperzieboontjes*
2 *rode paprika's*
1 *pak rijst*
en
2 *aardbeienpuddinkjes*

las Willem. 'Of wil je een ander toetje, Veertje?'
'Een aardbeienpuddinkje is dik in orde,' antwoordde Veertje. Ze was bezig Willems houten luikjes van een nieuwe laag groene verf te voorzien.
'En een lekker visje graag, Willem,' zei Sergio, die op de tuintafel sprong.
Lekker visje noteerde Willem. Hij stond op. 'Maar voor ik ga, drinken we een kopje thee.'
'Schoteltje melk.'
'En een schoteltje melk.'
Willem ging naar binnen om even later weer buiten te komen met een pot thee, een rol koekjes en de melk.
'Lekker, thee,' zei Veertje. Ze pakte een stoel. 'Heb ik je al verteld dat ik vanmorgen een telefoontje kreeg van papa en mama?'
Willem schudde zijn hoofd.
'Nou, het gaat allemaal prima,' vervolgde ze. 'Toch een goed idee van mij geweest hè, dat circus.'
'Jazeker,' beaamde Willem, 'nou zijn ze tenminste

iedere dag samen... én apart bezig met hun eigen dingen. Je vader regelt alles voor circus Tomba en is ook nog eens manager van je moeder...'

'Die vrij als een vogeltje door de lucht zweeft,' vulde Veertje aan.

'Terwijl wij lekker bij Willem wonen,' knorde Sergio tevreden.

Veertje lachte. 'Behalve als het vakantie is. Want dan treden wij ook op.'

Sergio kneep zijn ogen tot spleetjes. 'Als Sergio, de beroemde pratende kater.'

'Nee, nee... als Veertje, de beroemde buikspreekster en haar kater,' plaagde Veertje.

Willem grinnikte. 'Vergeet superclown Willem Wolf niet.'

'Jammer dat met het verdwijnen van het Draboek geen enkele formule meer werkt,' zei Veertje. 'Anders hadden we nog een vliegende wolvenshow gehad ook.'

'Hmm,' zei Willem, 'ik denk niet dat je die wolven ooit nog naar een circus krijgt.'

Veertje wierp hem een geheimzinnige blik toe. 'Je kunt nooit weten.'

'Ach, ik ken ze een beetje,' antwoordde Willem. Hij schoof zijn stoel achteruit. 'Ik ga de boodschappen maar eens opnemen. Tot straks.'

Even later reed hij bij Stella Wolf langs.
Die wilde een kippetje Hawaï.

'Een krantje graag, Willem.'

Dat was Harro Wolf die geeuwend overeind kwam uit zijn hangmat. 'En wat kipspiesjes, houtskool en spiritus als je wilt.'

'Een sigaar,' bromde Opa Wolf. 'M'n laatste.'

Willem keek hem verbaasd aan.

'Ach ja,' zegt Opa, 'ik moest maar eens met die stinkstokken stoppen. En ik wilde een gevulde kip met een eh…'

'… pittig paprikasausje,' vulde Willem lachend aan.

Boven het bospad slingerde kleine Timo handig van boom tot boom. Met een salto belandde hij naast de langzaam rijdende jeep.

'Een kaartje voor het circus, Willem. En of je even langs mama rijdt voor de rest.'

'Krijgt Veertje toch nog een beetje gelijk,' zei Willem.

'Wat bedoel je?' vroeg Timo.

'Dat vertel ik je later nog wel eens,' grijnsde Willem, terwijl hij verder reed.

146